諸葛亮出山

導讀文字：金　朝
繪　圖：李成立

萬里機構・萬里書店出版

編輯：莊澤義．王淑萍
書名題簽：黃　天

③「古書今讀」之《漫畫三國演義》系列

諸葛亮出山

導讀文字
金　朝

繪　圖
李成立

出版者
萬里機構．萬里書店
香港九龍土瓜灣馬坑涌道5B-5F地下1號
電話：25647511
網址：http://www.wanlibk.com
電郵地址：wanlibk@enmpc.org.hk

發行者
萬里機構營業部
香港九龍土瓜灣馬坑涌道5B-5F地下1號
電話：25623879　　傳真：25909385

承印者
美雅印刷製本有限公司

出版日期
一九九五年七月第一次印刷
一九九九年八月第五次印刷

ISBN 962-14-0942-X

古書今讀叢書

出版說明

我們的國家，有著數千年的文明。這數千年的文明，用各種各樣的方式記載下來，我們在神州大地上遊覽，為甚麼腳步不時會不由自主地再三猶疑，不忍遽然離去？那就是因為，中華民族的數千年文明以各種面貌出現在我們的跟前，或者是肅立的一個亭子，或者是既流動又凝固了的書法，或者是一彎雖然已經老去卻仍在努力的小橋，甚至，那不過是一塊不起眼的殘片，只是，對我們來說，這已經足夠。

我們當然不會忽略書籍這樣的一種載體。能夠一直流傳下來的老書，就是古書了。古書，我們不會嫌多；事實上，流傳下來的古書也是不多的。這事情裏面，有著一種必然，那是大浪淘沙的必然。大浪，沒有把一切都淘空淘盡，而且讓我們曉得了，甚麼是值得好好珍惜的寶貝。

文明與智慧同在，文明也與寬容同在。時間的流灑，是一種滋潤，使我們的寶貝愈發有著動人的光澤，愈是親炙這樣的寶貝，我們便愈是容光煥發。「古書今讀叢書」出版的目的，便是希望藉著這套叢書的出版，使更多的讀者能親炙這樣的寶貝，得到不同程度的潤澤。由於種種原因，今人讀古書，會有這樣那樣的困難，成為一種阻隔，所以我們以導讀文字輔以漫畫的方法，構築成一彎「拱橋」，讓讀者能愜意地走過去，只要一伸手，就可以觸及那光澤。毫無疑問地，構築這樣的一道「拱橋」，是一項大工程。我們不希望曲解古書，也不要隨意或任意的所謂闡釋，但與此同時，又要於讀者有用，因為這樣，工夫就多了。工夫雖然多，我們樂於這樣去做，同時深願讀者也樂於見到這套叢書的出版，甚麼時候，也為這「拱橋」鼓鼓掌。

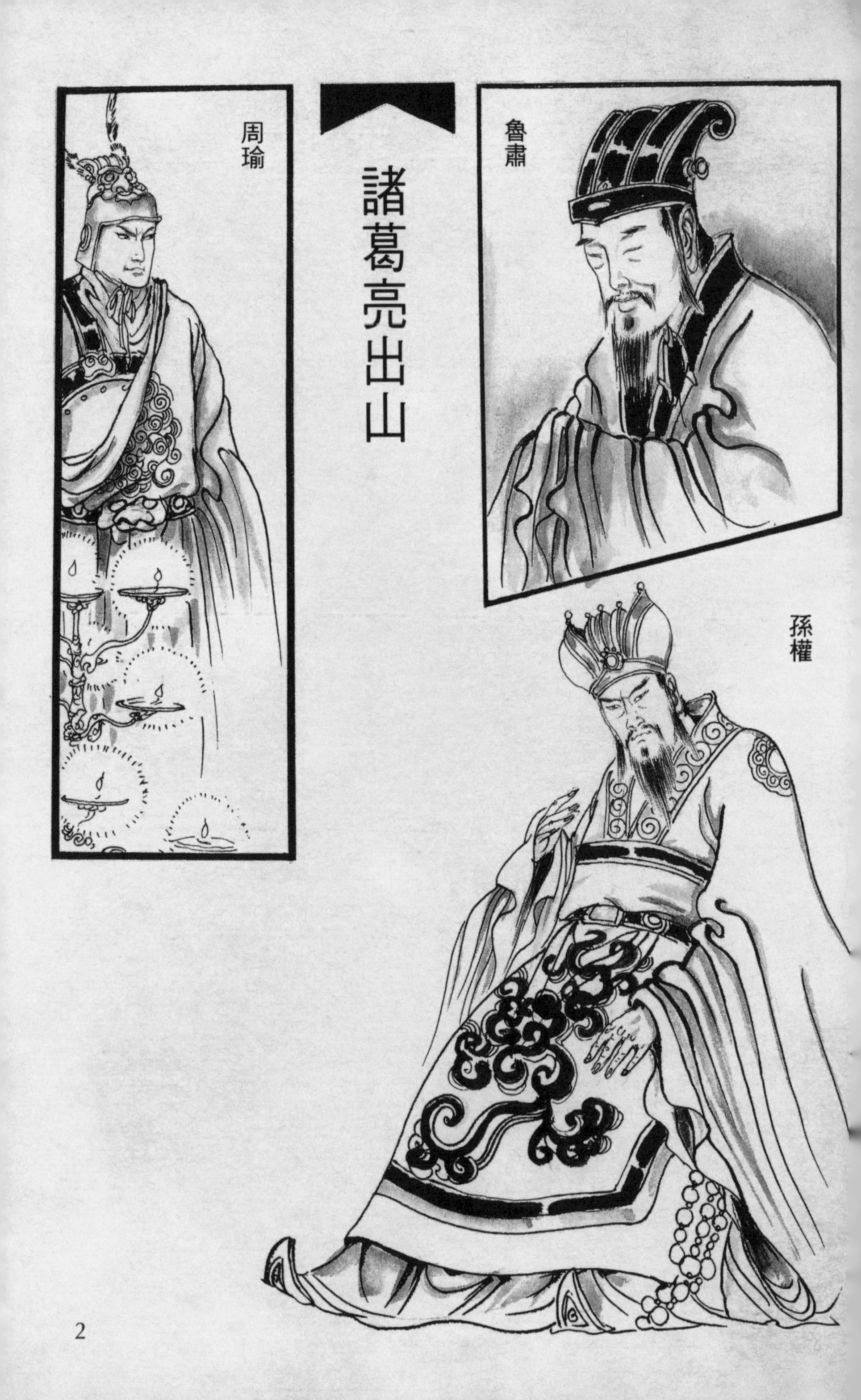
諸葛亮出山
周瑜
魯肅
孫權

張飛
趙雲
諸葛亮

《三國演義》主要人物

名、字、號簡表

名	字	號，以及書中對他的其他稱呼
劉備	玄德	劉皇叔、劉豫州、先主
關羽	雲長	美髯公、漢壽侯
張飛	翼德	
董卓	仲穎	董太師
呂布	奉先	呂溫侯
曹操（小名：阿瞞）	孟德	老瞞、曹老瞞
孫策	伯符	小霸王
孫權	仲謀	碧眼兒
徐庶	元直	
諸葛亮	孔明	伏龍、卧龍先生、武鄉侯
趙雲	子龍	
魯肅	子敬	
周瑜	公瑾	周郎、周都督
黃蓋	公覆	
龐統	士元	鳳雛先生
張遼	文遠	
魏延	文長	
黃忠	漢升	
馬超	孟起	
楊修	德祖	
司馬懿	仲達	
龐德	令明	
呂蒙	子明	
陸遜	伯言	
曹丕	子恒	
姜維	伯約	
劉禪	小字阿斗，公嗣	後主
廖化	元儉	
鍾會	士季	鍾司徒
鄧艾	士載	

目　次

一
官渡大戰

首先是能夠聚才

有一句俗話：「出處不如聚處」。能否把人才聚集到自己身邊，爲自己的事業出謀出力，這是很重要的。

出處爲甚麼不如聚處

「出處不如聚處」，原來所指，是世上物資的產地往往比不上物資的聚集之地。許多時候，物資的產地卻留不住物資，相反，有一些地方，自己不出產什麼，卻能夠使各地出產的物資流往自己這兒。看來，財富也是這樣，自己沒有錢財，並不要緊，要緊的是，使自己成爲錢財的聚處。

無論是物資的聚處抑或是錢財的聚處，首先都因爲它是人才的聚處。「人傑地靈」，人才多，那個地方也變得與衆不同，自有其魅力，於是成爲物資或錢財的聚處。否則，即使原來由於種種關係，糾集得許多物資、錢財與人才，結果也會一一散去。《三國演義》裏，袁紹與曹操兩陣對圓的發展與結果，便很能說明這個問題。

袁紹有七十萬大軍，兵多糧足，《三國演義》形容爲「東西南北，周圍安營，連綿九十餘里」，氣勢甚盛，袁紹也因此而自恃，聽不入相反的意見，先後提出勸諫的田豐、沮授、許攸等人，都被重罰；而順着袁紹的喜惡而說話的人，都獲得重用。這便種下了敗因。

自我沉迷致人財兩空

自己的氣勢盛，如果因此而自我沉迷，便決不是好的徵兆。問題是，在順境裏能自我警惕，卻是極不容易的。順境，包括了順着自己喜惡的說話，都是使人愉悅的。其實，這已經陷入了一個自困之局，一切因循①，一切停滯下來，欠缺了應變的能力。

「樂極生悲」所說的情形，也與此相若。袁紹與曹操對陣之初，「袁紹金盔金甲，錦袍玉帶，立馬陣前。左右排列着張郃、高覽、韓猛、淳于瓊等諸將。旌旗節鉞、甚是嚴整」，可是曾幾何時，袁紹節節敗退，到了後來，「袁軍俱無鬥志，四散奔走，遂大潰。袁紹披甲不迭，單衣幅巾上馬；……急渡河，盡棄圖書車仗金帛，止引隨行八百餘騎而去」，前後對比，是如許的強烈。

疑人不用旣用則不疑

袁紹的才智，與曹操相去甚遠，這是前者大敗，幾乎散盡人與財的主因。袁、曹兩方，各有出色的謀士，問題在於，作爲主帥，如何聽取謀士的意見，如何決策，例如沮授向袁紹獻策，針對己方有糧，彼方無糧，力主「緩守」，採取消耗對方糧食的辦法，使形勢變得對

①因循：沿襲舊有的習慣，不思變革。

自己大爲有利，然後大舉進攻；但袁紹認爲光憑軍力，已可壓倒曹操，泰山壓頂，曹操焉能招架？故他立即揮軍，進擊曹軍。許攸提類似的意見，也被拒絕；許攸投往曹軍之後，也是在糧草這個問題上，主張曹操劫袁紹的糧，以拉近雙方的距離。曹操立即接受了許攸的意見。有人向曹操提出勸告，因許攸來自敵營，得提防此中有詐。曹操並沒有改變決策，第一，「彼若有詐，安肯留我寨中」，第二，「吾亦欲劫寨久矣」，關鍵的是，他自己亦看到劫寨（袁紹軍糧，盡焚「烏巢」）的扭轉乾坤的作用，許攸的看法，不過加強了他的信心。這樣，許攸既樂於留下來，曹操也有了正確的決策。

聽意見善分析巧採納

聽意見，是要這樣聽的。有才智的人向主帥提意見，首先是希望主帥聽得懂，然後是希望主帥能善加分析，變成是自己的東西，再下決定，這末一來，有關意見未必是全盤被接收，卻是能夠更起作用。主帥的位置，自然是知道得更多，看得更廣，故此自有其多加斟酌的必要。有才智的人，明白箇中道理，願意在這樣的主帥下面做事，馬援所說的「當今之世，非但君擇臣，臣亦擇君」，就是指這一點。

主帥的決策，往往與謀士有一定的距離，只要這距

離的形成，不是出於主帥的昏庸或無能那便能夠聚集才智之士，事業便能夠開展。曹操被視為「奸雄」，他確是有雄的一面，如他領軍劫袁紹的糧食，被敵軍前後夾在其中，下屬奏請「分軍拒之」，曹操的答案卻是「諸將只顧奮力向前，待賊至背後，方可回戰」，一派「破釜沉舟②」的氣慨，足見其雄奇。

曹、袁對陣，得到對方的謀士、將領來投効，誰勝誰負，早就有了定局。

得道者多助失道寡助

許多人都希望自己能夠坐上高位，可是，坐上高位之後，又往往會樹大招風。不過，談到「樹大招風」這一點，我們也得清醒自己的頭腦。自然界的現象告訴我們，招風的，不僅是大樹，也包括了小樹。一場風雨之後，倒下來的，有大樹，有小樹。或者說，大樹特別招風，但是，在風雨中倒下來的大樹，我們多見的，是那些早已給蟲蟻蛀空了的；或者是，大樹下的泥土已大量流失，樹根把持不住。大樹的健康和其他情況良好，而給大風吹倒的，畢竟是少數。

樹大招風，是必然的事。這是一個方面。另一個方面，凡比喻都有這樣那樣的不圓滿，「樹大招風」比喻坐上高位的人，也是如此。即使人在某方面像大樹，但說

②破釜沉舟：項羽跟秦兵打仗，過河後把鍋都打破，船都弄沉，表示有進無退。比喻下定決心，硬拚到底。

到底，樹不能動，人能，這一點，便是人必勝樹的地方。當然，我們亦可以指出的是，一些坐上了高位的人，便不再動，也懶得再動；然而，如果是這樣，便是連大樹也不如了。大樹非不動，乃不能動；人非不能動，乃自己不動。這又怎比得上大樹？人自比喻爲「樹大招風」，表現出了惰性，表現出了不思進取。

《三國演義》裏，袁紹以百萬大軍進襲曹操，卻落得個大敗收場。夜宿荒山之際，「紹於帳中聞遠處有哭聲，遂私往聽之。卻是敗軍相聚，訴說喪兄失弟，棄伴亡親之苦，各各搥胸大哭；皆曰：『若聽田豐之言，我等怎遭此禍！』」田豐爲袁紹之謀士，早被袁紹囚於獄中；在袁紹出兵伐曹之前，在獄中的田豐仍然提出勸告，只是袁紹照様不聽取。大敗之後，衆軍人憶起了田豐之言，便不禁埋怨起袁紹來。獄中的田豐得知袁紹兵敗如山倒，人家祝賀他快將獲得釋放，他卻自言必死，他的見解是：「袁將軍外寬而內忌，不念忠誠。若勝而喜，猶能赦我；今戰敗則羞，吾不望生矣。」後來，事情的發展果然一如他所料，他亦於獄中自刎。

「外寬而內忌」，實際上，是沒有容人之量；「不念忠誠」，是不以家國爲重，而是以自我爲大。這樣的一棵大樹，便是內裏早給蟲蟻蛀空，便是沒有風，也會卒然倒下的。「外寬而內忌」，「不念忠誠」，這樣的人如袁紹，內心必然鬱結糾纏，大有損於健康。袁紹後來便是

吐血而死。相對之下，田豐反而死得坦然。

所以說，坐上高位不就等於成了一棵大樹。或者說，那是徒有大樹之名，而無大樹之實。袁紹的才能、涵養確是有限，這末一個人，即使坐擁百萬大軍，也會失去，不因伐曹而失，亦會由於別的原因而失去的。

成敗有時唯不可喪志

同一個時期的劉備，表現也不濟事③他率領幾員大將與衆多精兵，挑戰曹操，首場戰事，取得了勝利。可是，他把握不住勝果，更無法擴大勝果，曹操很快便扭轉了局勢，化被動爲主動。劉備被殺得落荒而逃，以爲再沒出路，要自殺，幸被部屬阻止。左衝右突之後，果然殺出了一條血路。問題是，劉備並沒有因此而吸取了教訓，反而勸告部屬另投明主，以取得功名。關雲長不同意，並以昔日漢高祖與項羽爭天下的例子作勉勵；孫乾則說：「成敗有時，不可喪志④。」喪失了志氣，「大樹」也便再站不住了。稍後，劉備投靠了劉表，有了轉機。劉表這個人，絕對不是突然出現的。漢高祖與項羽之爭這個例子，早就存在，劉備不會不曉得。這說明了，那極大的局限與掣肘，是來自劉備本人。這「大樹」的本身，有這樣那樣的毛病。

③不濟事：不頂用，差勁。

④成敗有時，不可喪志：一個人難免會有成功、失敗的時候，最重要的是不要喪失了自己的鬥志。

不久，袁紹點起七十萬兵馬，準備討伐曹操。
謀士田豐從獄中托人傳信勸諫。
目前只宜靜守！不宜出兵，出兵一定不利。
袁紹十分惱怒，要殺田豐。
哼！等我破了曹操，再治他的罪。
袁

袁紹來到陽武，剛安下營寨，便要進兵。
謀士沮授勸諫。
我軍人多，但不及曹軍勇猛。曹軍缺糧，我們只要固守一時，曹軍一定不戰自敗。
你竟敢步田豐後塵，亂我軍心！
待我破了曹操，將你和田豐一起治罪。
袁紹下令把沮授鎖禁軍中。

曹
曹操聞訊，率七萬精兵來官渡迎戰。
我軍銳勇，宜速戰速決，否則糧草供應不上，那就麻煩了。
敵衆我寡，將士畏懼，怎麼辦？
曹操率許褚、張遼、徐晃、李典等將殺向袁營。
說得有理！我們主動出擊！

雙方對陣
我在天子面前保奏你做大將軍，你爲甚麼造反？
你名爲漢相，實爲漢賊，竟敢反誣我造反！
曹軍張遼與袁軍張郃兩人大戰五十合，不分勝負。
殺！
許褚揮刀出陣助戰，高覽挺槍相迎。

曹洪、夏侯惇各領兵三千，衝擊敵陣。
是！
衝！
殺！
袁紹揮兵掩殺，曹軍退回官渡。

審配獻策。
可在曹操寨前築起土山，居高臨下放箭，曹操若棄寨而去，我們即得官渡，破許昌就容易了。
袁紹逼近官渡下寨，與衆謀士商議進攻之策。
好計！

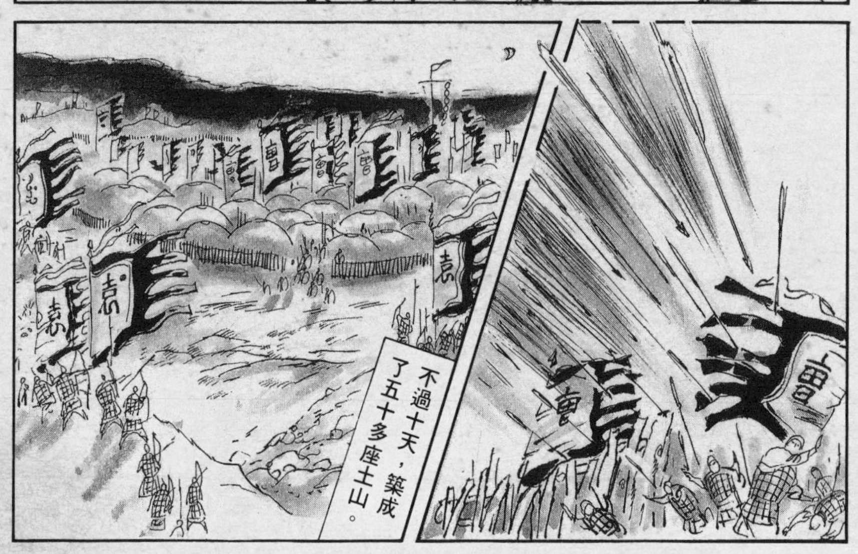
不過十天，築成了五十多座土山。

曹操召集衆謀士商議對策。
可造發石車對付他們。
好！快畫出式樣，連夜打造。
一夜功夫，造出幾百輛發石車。
第二天，袁軍放箭，曹軍發石還擊。
袁軍死傷不少，再也不敢登高放箭。

雙方相持了一個多月。
軍中缺糧，不如棄了官渡，退守許昌。
他派人送信給留守許昌的荀彧徵求意見。
以弱擋強，
宜堅守！
等待時機，
出奇制勝
必須死守，不得出擊。

一天夜裏，袁軍大將韓猛押送幾千車糧草回營。
曹操派大將徐晃在半路截擊，糧草全被燒光。
烏巢是我軍屯糧之所，主公必須派重兵防守。
我自會安排，你回鄴都去督運糧草，保證前方糧草供應。
是！
袁紹派嗜酒成性的大將淳于瓊領兵兩萬去防守烏巢。

使者被袁軍士捉住。
過了幾天，曹營軍糧接濟不上，曹操派人去許都催糧。
巡軍押着使者來見謀士許攸搜出了催糧信。
袁
曹軍乏糧，我軍若分兵進襲許都，曹操必然回兵去救，那時隨後掩殺，可獲全勝。
曹操詭計多端，這是誘敵之計，不可上當！

你好大的膽。
袁紹大罵許攸。
許攸在冀州濫受賄賂，縱子侄貪污錢糧，確實
這時，審配派人送來一信，誣陷許攸。
老朋友，見到你眞高興！
許攸本是曹操的舊友，便投奔曹操。
唉！豎子不足與謀，袁兵必敗。

袁紹屯糧烏巢，守將嗜酒無備，只要遣將詐稱蔣奇前去護糧，火燒烏巢，袁軍不戰自破！
老朋友，你肯來幫助我，一定有好計策教我！
好計！
你等四將，留守大營，以防敵兵劫寨。
是！
第二天晚上，夏侯惇、曹仁、夏侯淵、李典四將聽命。

一路上，他們打着袁軍旗號，詐稱蔣奇前往烏巢護糧，混了過去。

曹操率張遼、許褚、徐晃、于禁等將，秘密向烏巢進發。

四更天，兵至烏巢。
點起火把，衝進去！

衝啊！放火燒糧！

曹軍放火燒糧、
奮勇衝殺
曹
糧
你被活捉啦！
怎麼回事？
淳于瓊從夢中驚醒。
報！曹操夜襲烏巢！

袁紹急聚眾將商議。
曹軍劫糧，營中空虛，應該去偷襲曹營。
我與高覽願領兵去救烏巢。
張郃、高覽，你倆領兵五千，去劫曹營！
蔣奇，你領兵一萬，速去烏巢救援！
是！

張郃、高覽劫營大敗，投順了曹操。
曹
蔣奇半路遇到曹兵，被許褚、張遼殺死。

曹
袁
一夜混戰，袁軍損失大半。

當夜，曹操兵分三路，去劫袁紹大營。
曹

今夜前去劫營，袁紹必定不備。
好！

曹操想斷我歸路，必須分兵拒敵。
袁紹聽信謠言。

派人散布謠言，說將分兵去攻鄴郡、黎陽，袁紹若分兵去救，趁勢攻擊。
妙極了！

哈哈，袁紹中計了！
他馬上派袁譚率兵五萬去救鄴郡，辛明率兵五萬去救黎陽。

曹軍兵分八路，向袁紹發動總攻。
殺啊—
衝啊—

袁紹狼狽逃竄。
他渡過黃河，身邊只剩八百名親兵。
曹操一舉殲滅袁紹八萬餘人，大獲全勝。

在戰利品中，發現一疊曹軍某些人私通袁紹的密信。
!!
他將繳獲的金銀財物，分賞給衆將士。
看看是誰寫的，殺了這些叛逆。

這場官渡大戰，曹操以弱勝強，奠定了他統一北方的基礎。
過去的事不必計較，把信全部毀掉！

二

劉備兵敗汝南

最好的兵法

天下間有沒有最好的兵法？

有人對《孫子兵法》推崇備至。可是，《孫子兵法》早就擺在那兒，人人可讀，沒有神秘可言，怎能再克敵制勝？其實，這種理解是錯誤的，兵法並不貴乎是否獨家擁有。

熟讀兵法須靈活運用

有的兵法，人人皆知，但有的人用起來可以得到勝利，有的人用起來卻招致失敗，那是甚麼原因呢？

《三國演義》裏，不乏這樣的例子。

如曹操東征劉備，而不懼劉備向袁紹求救，袁紹乘虛襲曹操，是由於：一、「紹性遲而多疑，其謀士各相妒忌，不足憂也」；二、「劉備新整軍兵，衆心未服」。這兩條，兵法上也有明載，並無神秘之處。在《三國演義》裏，這兩條兵法或用兵之道也被人常加運用。

劉備面對曹操的大軍，急謀對策，張飛獻策：「曹兵遠來，必然困乏；乘其初至，先去劫寨，可破曹操。」此兵法，也耳熟能詳。

用法不同效果也相異

後來，曹操藉天象得知晚上有人劫寨，故「分兵九隊，只留一隊向前虛紮營寨，餘衆八面埋伏」，結果大敗劉備、張飛，使二人各自落荒而逃。

善於用兵，熟讀兵法，只是其中一個基礎，如「實則虛之，虛則實之」，又怎可以照搬照用？用兵，也就是這樣。甚麼時候依法施爲，甚麼時候反其道而行，都得按照實際情況，並加以變通，在某個意義上，便是推陳出新了。

官渡大戰後不久，袁、曹兩軍又在倉亭大戰。
袁紹中了曹操「十面埋伏」之計，大敗。
袁紹吐血暈倒。
父親，你醒醒！
袁紹的三個兒子：袁譚、袁熙、袁尚。

袁譚、袁熙、高幹人們三人各領兵回青、幽、並州，整頓兵馬，防備曹操侵犯。
唉！沒想到我戎馬一生，今日如此狼狽。
是！

袁紹帶着小兒子袁尚回冀州養病。
袁

曹洪，你在這兒防守，我去迎戰劉備！
是！

曹操正想繼續進兵。
報！劉備出兵奔襲許昌！

曹、袁大戰，許昌空虛，劉備讓劉辟守汝南，便乘機進兵。

劉備在古城兄弟相會後，和汝南劉辟、龔都聯合起來，招兵買馬，實力大增。

兵至穰山。

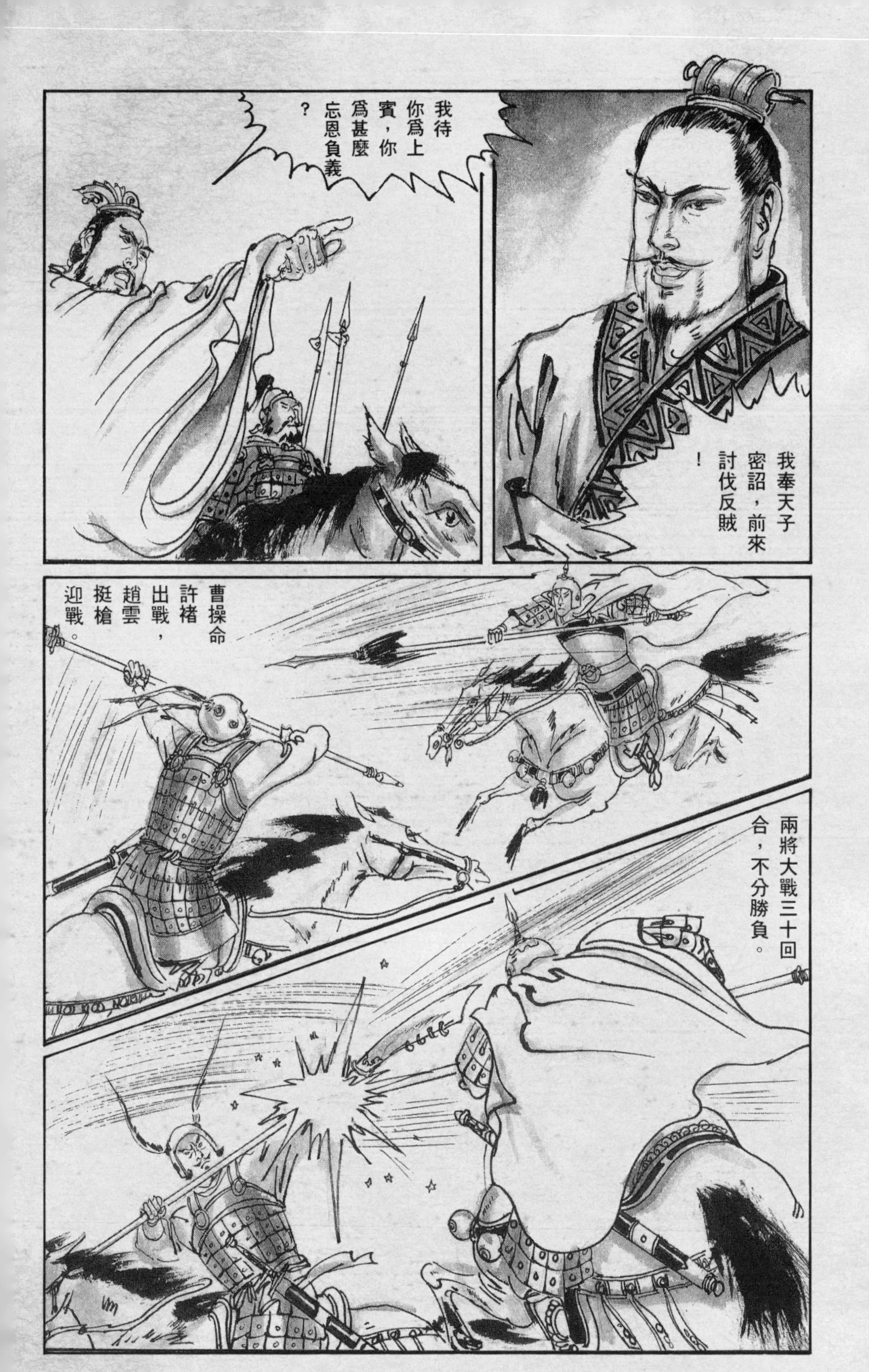
我待你爲上賓，你爲甚麼忘恩負義？
我奉天子密詔，前來討伐反賊！
曹操命許褚出戰，趙雲挺槍迎戰。
兩將大戰三十回合，不分勝負。

關羽、張飛從兩側殺來。

劉備又派張飛前去挑戰，曹操仍不肯出戰。
一連十天，劉備派趙雲前去挑戰，曹操閉營不出。
不好！曹操一定在搞鬼。
曹軍人困馬乏，大敗而走。

三弟，你快領兵救援！
是

報！龔都解糧前來，被曹兵包圍！

汝南一失，就無家可歸了！二弟，你領兵去救汝南！
是！

報！曹操派夏侯惇抄小路去攻汝南！

關
張

報！
夏侯淵搶走糧草，
張飛被圍！
報！
夏侯惇攻破汝南，
關羽被圍！
報！
許褚在營外
挑戰！

不要
放走
劉備！
不要
放走
劉備！

劉備不敢出戰，
等到天黑，
帶兵撤退。

趙雲持槍在前，
劉備跟在後面衝殺。
主公不必憂慮，跟我走！
許褚追了上來，趙雲回頭廝殺。

于禁、李典殺來，
劉備落荒而逃。

劉備單身騎馬在山間小路奔逃。
原來是劉辟、孫乾、簡雍、糜芳帶着敗軍、保護劉備家小前來。
天明，前面又有軍馬攔路。
這下完了！
夏侯惇兵多勢盛，我部只得棄城而走，遇曹兵攔殺，多虧了關將軍，我們才脫險。

他們繼續南行，又遇張部領兵攔路。
劉備趕快下馬投降！
劉備率衆後退。
劉備，你跑不了啦！
與其被俘，不如一死，免得受辱
不要輕生，待我拼死一戰，殺出一條血路。
劉辟衝殺上前，和高覽交鋒。

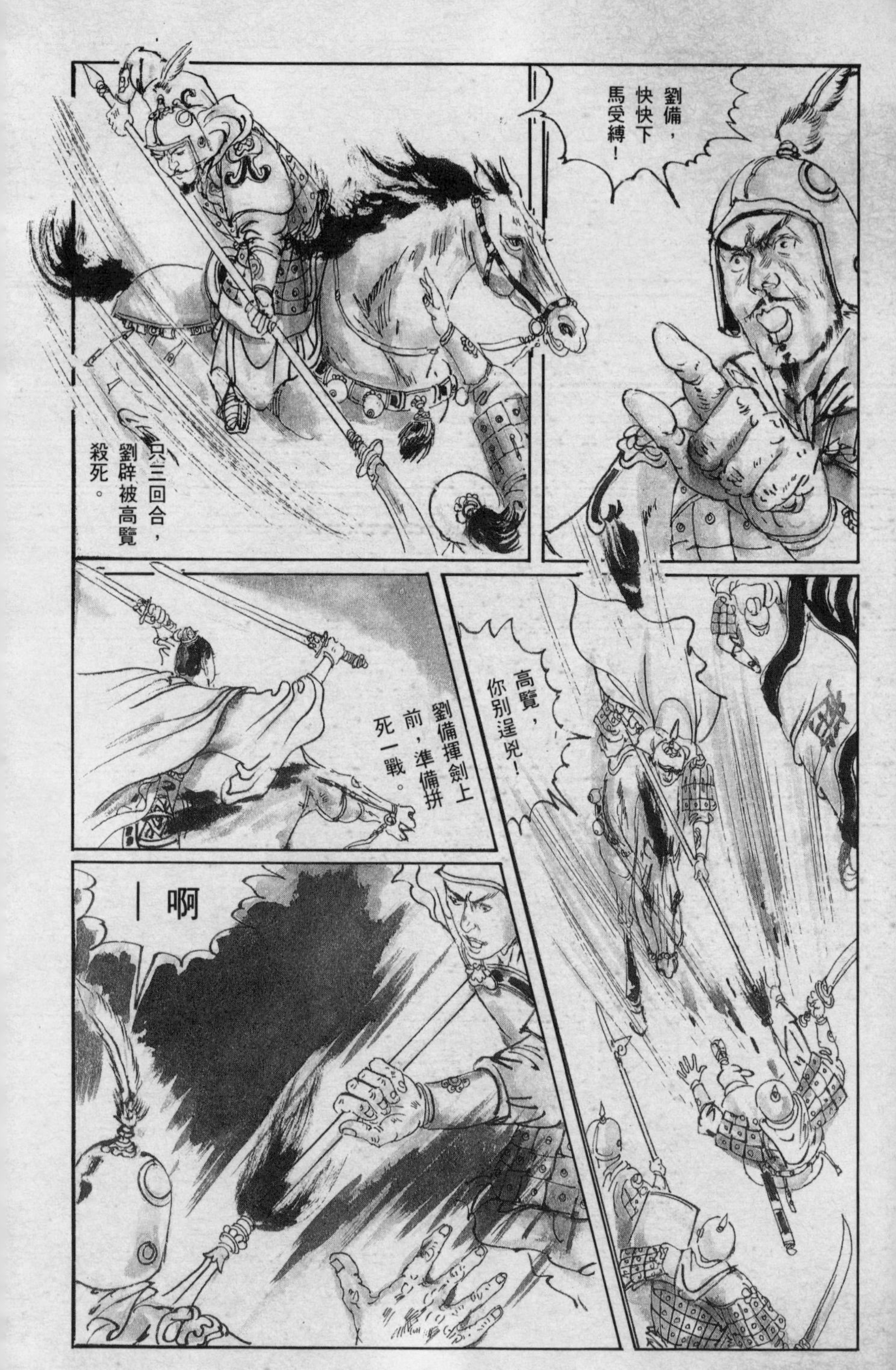
劉備，快快下馬受縛！
只三回合，劉辟被高覽殺死。
高覽，你別逞兇！
劉備揮劍上前，準備拼死一戰。
—啊

趙雲又上前
獨戰張部。
戰了三十回合，
張部敗走。
趙雲，多虧你及時趕來，不然我沒命了。
但張部守住隘口，
山路狹窄，
衝不出去。
張
劉
趙

關羽、張飛趕到，一起殺敗張郃，衝出隘口。

他們來到漢江邊安營休息。地方父老牽羊擔酒，前來慰問。
劉備檢點敗部，不滿一千，損失慘重！
各位都是英才，可惜跟了劉備。現在我連立足之地也沒有，你們還是另投明主去吧！
英雄落難，有甚麼大不了！勝敗乃兵家常事，兄長不必灰心！

劉備來到荊州，受到劉表盛情接待。

劉備投奔劉表，後患無窮，我馬上起兵討伐荊州。

不可！若袁紹從北面起兵，南北夾攻，十分不利。不如回兵許都，先破袁紹，明春再取荊州。

說得有理！
曹操率領大軍，勝利班師！

三

曹操定四州

最好的計策

用兵與用計，可謂不能分，如「兵不厭詐①」。不過，事情還得細看，儘管是「兵不厭詐」，但「疑兵之計②」，不一定都能夠得到成功。

謹慎用計誘敵上大當

說到「疑兵之計」，最著名的，恐怕得首推孔明的「空城計」了。

「實則虛之，虛則實之」，孔明獨守空城，面對敵方之大軍而毫無懼色，這也因爲他捨此別無良策；此外，還因爲他的足智多謀，早已享有盛名，換了是別人，便未必能夠成功。如果說，「空城計」不能照搬，這便是一個主要原因。

《三國演義》裏，袁紹死後，曹操揮軍進攻由審配所守的冀州。謀士許攸獻計，決附近漳河之水以灌城。曹操聽從了。

有虛有實成功非僥倖

其實，類似的計謀，也已經一用再用，並不新鮮。關鍵在於，曹操實行的時候，有自己的一套。例如這一次，他故意命士兵在白天掘塹，卻掘得甚淺，審配看了，認爲不足爲懼，遂不作戒備，豈料到了晚上，曹操

卻增加十倍兵力，並全速前掘，趕及在天明之前灌水入城，使審配猝不及防。

說到成功絕非僥倖，這也是一個例子。同一個計策，有人不能發揮其威力，有人立竿見影，這便是與使用者有關。使用者懶惰，或由於質素低，都會自毀，最好的計策亦無濟於事。

在這例子裏，我們看到了，强如曹操，也一點兒不怠惰，要得到成功，把握便大了！

①兵不厭詐：作戰時允許盡多地使用欺詐的戰術。

②疑兵之計：虛設兵陣，用以迷惑敵人，這種計謀稱爲「疑兵之計」。

第二年春，曹操又起兵討伐袁紹。
曹操欺人太甚，我親自領兵迎戰。
報！曹軍已到官渡，正往冀州而來。
父親病體未愈，兒願領兵迎敵。
好！我派人通知袁譚、袁熙、高幹領兵前來，共破曹操。

袁尚率兵迎敵，被曹軍先鋒張遼打得大敗。
袁尚逃回冀州。
啊！
袁紹驚懼，舊病復發，吐血身亡。
袁譚兵至半途，得到消息，氣得暴跳如雷。
袁尚自立為大司馬將軍，兼冀、青、幽、并四州州牧。

袁譚兵到黎陽，被曹軍殺得大敗
現在大敵當前，先破曹軍，回頭再爭冀州。
不久，袁熙、高幹領兵來到冀州。
兩軍相持，冀州城高牆固，曹操久攻不下。

袁氏廢長立幼，兄弟不和，我們不如先南下去征討劉表，待他們兄弟內乱，再一舉平定。
曹操見郭嘉說得有理，馬上引軍轉向荊州。
170
袁譚、袁尚果然發生內戰。
曹兵退後，袁熙、高幹各帶本部人馬回冀州。
袁譚兵敗，逃入平原城中。

袁尚兵到，把平原城團團圍住。
城小糧缺，怎麼辦？
袁譚便派平原令辛毗去向曹操呈降書。
先投降曹操，等曹操滅了袁尚，我們再據守冀州，對抗曹操。
袁譚投降，是眞是假？

說得好！你留在我這裏做謀士吧！
謝丞相。

不論眞假，丞相均可攻取冀州。河北平定，霸業就成了！

曹操點起大軍，殺向冀州。
袁尚留審配守城，自己領兵迎擊曹操。

袁尚兵敗，奔幽州投袁熙去了。

曹操用許攸之計，水淹冀州。

曹操又率軍進攻袁譚。
冀州被攻破。
袁譚兵敗被殺。

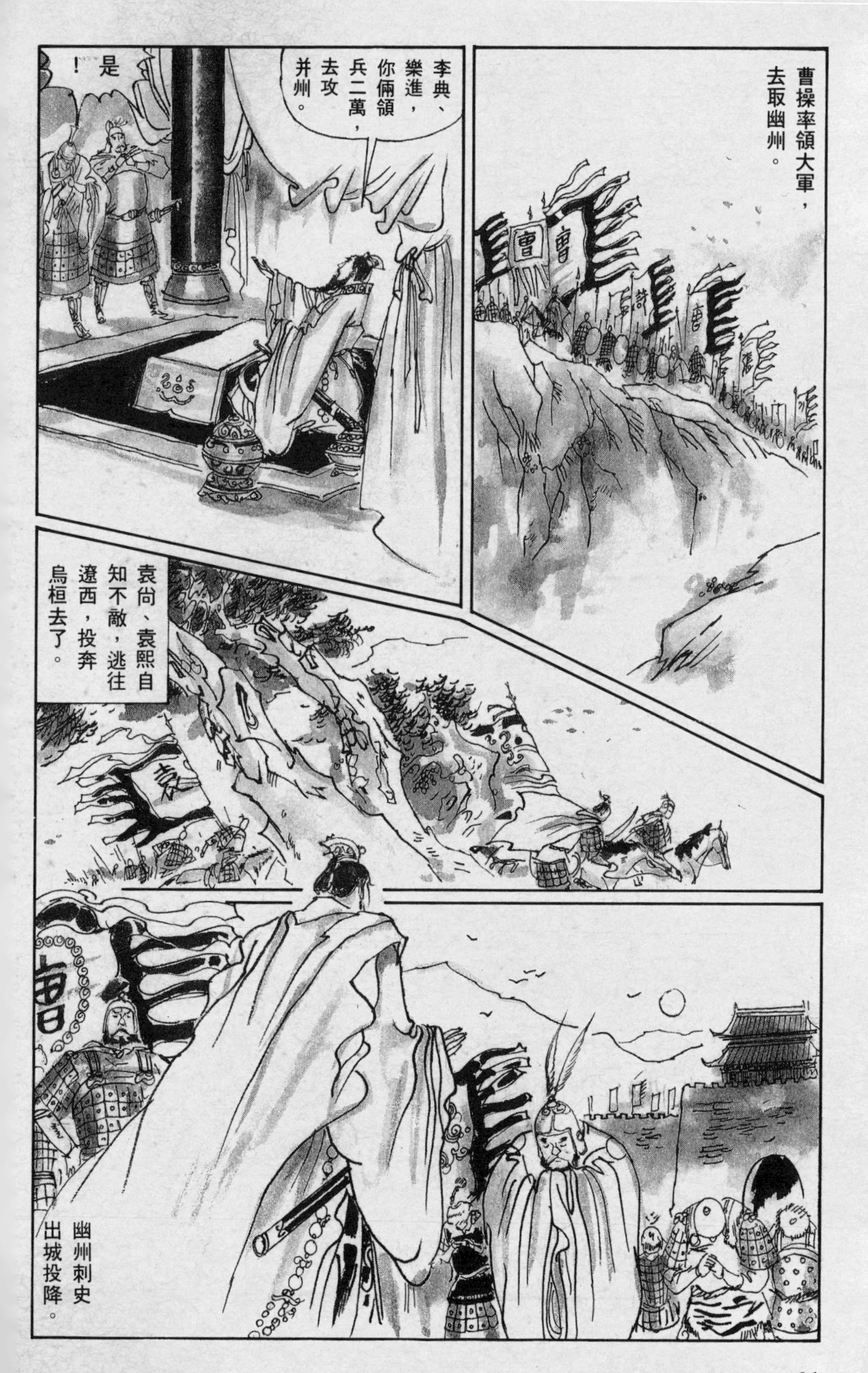
曹操率領大軍，
去取幽州。
李典、樂進，你倆領兵二萬，去攻并州。
是！
袁尚、袁熙自知不敵，逃往遼西，投奔烏桓去了。
曹
袁
幽州刺史出城投降。

曹操又率兵和李典、樂進會合，很快攻下并州。
我想出兵烏桓，追殺袁尚、袁熙，你們以爲如何？
如果劉表、劉備乘虛襲擊許都，怎麼辦？不如回師的好。
劉表自知才幹不如劉備，所以不會重用劉備的。主公放心西征，決不會出問題。
曹操聽從郭嘉的話，揮師西征。

半月後，來到烏桓境內，只見黃沙滾滾，荒無人煙，人困馬乏。
兵貴神速，有進無退。失去今日機會，被二袁重整軍馬，後患無窮。
道路難行，我想退兵了，你看怎樣？
曹操留郭嘉在易州養病，找來嚮導，繼續前進。

大軍正在行進，袁尚、袁熙和烏桓主冒頓率數萬騎兵殺來。
曹操指揮兵馬，分四路迎擊，烏桓兵大亂。
冒頓被張遼一刀殺死。
哎呀！
袁尚、袁熙逃往遼東。

曹操班師回到易州，得知郭嘉已經病故，親到靈前祭奠。
這是郭嘉留下的遺書，他說丞相如照書中所說去做，一定能平定遼東，除滅二袁。

曹操含淚拆開來看，連連點頭。
第二天，衆將紛紛要求乘勝征討遼東，除滅二袁。
不必動兵，幾天之內，遼東太守公孫康就會送二袁的首級來投降。

衆將心疑。議論紛紛。
這是怎麼回事？
請看郭嘉遺書。
幾天後，公孫康派人送來二袁首級。
果然不出郭嘉所料。
曹操並吞了冀、青、幽、并四州，統一了北方，從此勢力興盛，奠定了曹魏的基業。
遼東久畏袁氏吞并、二袁往投他們、他們便合力抵抗、我按兵不動、公孫康必殺二袁前來投降……

四

馬躍檀溪

「先見之明」的必然

一個人的腦袋生於顱頂，高於其他器官，這也說明了腦袋的重要。勤於做事不如勤於用腦，指揮者，往往是足智多謀之士——或者說，指揮者，往往需要足智多謀之士爲輔，如郭嘉之於曹操。

人的頭腦要用於思考

或者說，這個道理人人都曉得，只是謀士難求，等於劉備在得到孔明之前，縱有關雲長、張飛、趙雲幾員猛將幫助，也難圖大業。然而，我們還得看到，有了謀士，不就是說，與成功不過是一步之遙，可以手到拿來。弄清楚這一點，恐怕是更重要的。

聽取謀士的策略，到底聽得多少，與指揮者自己的質素和狀態有關。指揮者的質素差而狀態絕佳，因爲質素起着決定作用，故此也大打折扣。有的人常常推諉於內幕消息，以爲人家所謂有「先見之明」是由於有內幕消息，自己欠缺了內幕消息，便只得落後於人。其實，即使有內幕消息，也比不上內在規律。況且，內幕消息的眞眞假假，內幕消息的內幕程度，也得靠內在規律去衡量。多數人都愛聽內幕消息，還愛聽人家聽不到的內幕消息，以此炫耀，顯示自己的權威，卻不曉得，更權威的，是掌握了內在規律，藉此而預見內幕消息，彷彿，那內幕消息是爲了這預見而出現似的。

指揮者只愛聽內幕消息，在多數情況下，更正確地說，是被內幕消息所控制、所困，那末，我們可以說，這樣的指揮者，便是淪於一般見識，質素有限了。

也有的指揮者好大喜功，明知不可爲而偏要爲之，這樣的指揮者，便只會糟塌了謀士。固然說，「艮禽擇木而棲①」，但有的謀士，卻是把「不事二主」放在首位，開始的時候選錯了君主，也只得跟隨下去。這樣的謀士，是最會被質素低的指揮者所糟塌的。《三國演義》裏的袁紹，便是一位這樣的指揮者。也許，我們應該說，任何人都會有自己的局限，謀士也不能例外。

①艮禽擇木而棲：好的禽鳥選擇合適的樹木做巢。比喻有才幹的人選擇賢明君主，爲其效命。

善觀察細分析有先見

曹操的謀士郭嘉，死後仍然靠着自己生前寫下的一道密函，授曹操以錦囊，幫助曹操把事業往前推進。生前的密函，與死後的事實是那樣的脗合，就像郭嘉得到了極大的內幕消息一樣。袁紹吐血身亡，其長子袁譚被殺，次子袁熙與幼子袁尚兵敗，投奔遼東太守公孫康。曹操下屬有人據此力陳，勸說曹操揮軍遼東，免除後患，曹操卻聽從郭嘉生前寫於密函的意見，按兵不動，靜候公孫康把二袁的首級呈上。衆人以爲，公孫康擁兵數萬，久不降曹，又怎會自動奉上二袁的人頭。豈料，事情果然一如郭嘉所言。是不是郭嘉化爲了厲鬼，迫令公孫康那樣做呢？後來，曹操展示郭嘉的密函，原來，裏面有這樣的話：「若以兵擊之，必併力迎敵，急不可下；若緩之，公孫康，袁氏必自相圖[2]，其勢然也。」二袁兵敗，公孫康以逸待勞，倘兩者「自相圖」，吃虧的無疑是二袁了。事實上，公孫康的策略正是：「如曹兵來攻，則留二袁；如其不動，則殺二袁，送與曹公。」與郭嘉不謀而合。

發展規律不以人意定

不謀而合，因爲那是一種內在規律，可說是必然如此。理論上，內在的規律，必然如此的東西，是客觀存在着的，每一個人都可以看到，每一個人都可以把握。等於最漂亮的花開了，也必然會謝，就是這末的簡單。但是，實際上，偏偏不少人都不相信這一點，或者是不願意接受這一個現實，這樣，有關的行爲，便會有這樣那樣的偏差了。

事發偶然且純屬僥倖

世界上，簡單的東西變得複雜，最後迷惑了自己，很可能就是因爲自我蒙蔽，自我愚弄。

劉備投靠劉表，後來又不容於劉表，卻又獲得劉表

的邀請，前往襄陽代其接待客人。去與不去，頗費躊躇，始終求不到一條上策。即使後來定下來的由趙雲帶領三百士兵前往，也並非上策。事實上，劉備危難之際，也得不到趙雲和那三百士兵的保護，他靠的是那匹「的盧」名駒，面對數丈闊的檀溪，一躍而過。劉備獲救，是出於偶然，而非必然——非內在規律的必然，是不可捉摸的。

一個指揮者，如果靠的是偶然，便大有問題。而劉備前往襄陽會遇上危難，趙雲難以相救，幾乎是一種必然，卻又看不出來。那麼，劉備能逃過大難，便必然靠的是僥倖了！

劉備在荊州，很受劉表信任。劉表常請他喝酒聊天。
報！江夏降將張武、陳孫造反！
兄長不必憂慮，我願率兵討賊！
好！你帶三萬兵馬前去！
劉備率軍來到江夏。
劉
劉

我去把那馬搶來！
張武出陣，騎着一匹好馬。
好一匹千里馬！
見閻王去吧！
趙雲牽馬回陣，陳孫趕來搶奪。
你也去見閻王吧！

劉備勝利班師，劉表親自出城迎接。
賢弟如此英雄，荊州有靠了。只是南越、孫權、張魯都有侵犯之意，我很躭心。
好！乾杯！
我手下有關羽、張飛、趙雲三員大將，讓他們分頭把守，可以安枕無憂！
乾！

劉備有野心，你要注意。不如把他遣出荊州。

劉備不懷好意，要提防！
荊州大將蔡瑁是劉表的小舅子，他把劉備要派三將分守邊境的事誣爲惡意。

次日，劉表看到劉備的坐騎十分雄壯，連聲稱讚。
這原是張武的坐騎，兄長喜歡，就送給你吧！

他是個正人君子，不必多疑。

劉表騎馬,遇見謀士蒯越。
這馬名叫「的盧」,騎了要害主人,主公千萬不要騎。
難道劉備眞想害我?我不如把馬還他。
我想你常要出征,這馬還給你吧!你可領本部人馬前往新野駐紮。
好的!
我聽說這馬名叫「的盧」,騎了要害主人,你不要再騎牠了!
人死生有命,我不怕!
高見!

不久，甘夫人生下兒子劉禪，乳名阿斗。
劉備來到新野，整頓吏治，面目一新，受到軍民擁戴。
劉
兄長爲甚麼長嘆？
唉！
一天，劉表請劉備到荊州喝酒。
我的長子劉琦是前妻所生，次子劉琮是蔡氏所生，我想廢長立幼，只怕不合禮法。……

廢長立幼，的確不合禮法；若怕蔡氏權重，可慢慢削減……
劉備看到屏後衣裙一角，頓時驚覺，便起身上厠所。
我失言了。
!
賊奴才，我不殺你，你不知道我的厲害。
往日我身不離鞍，髀肉都沒了，現在髀肉重生，功業未成，所以傷感。
你怎麼啦？
過了一會，他面帶淚痕，回到席上。

如我有立腳之地，天下碌碌之輩，原也不在我眼中。

曹操曾稱讚賢弟爲英雄，你何必躭憂不能建立功業呢？

劉備目中無人，一定有併吞荊州的野心，不殺掉他，必是禍患！
劉表不答，只是搖頭。

劉表聽了，不再吭聲。劉備知又失言，借口酒醉，告辭回館舍。

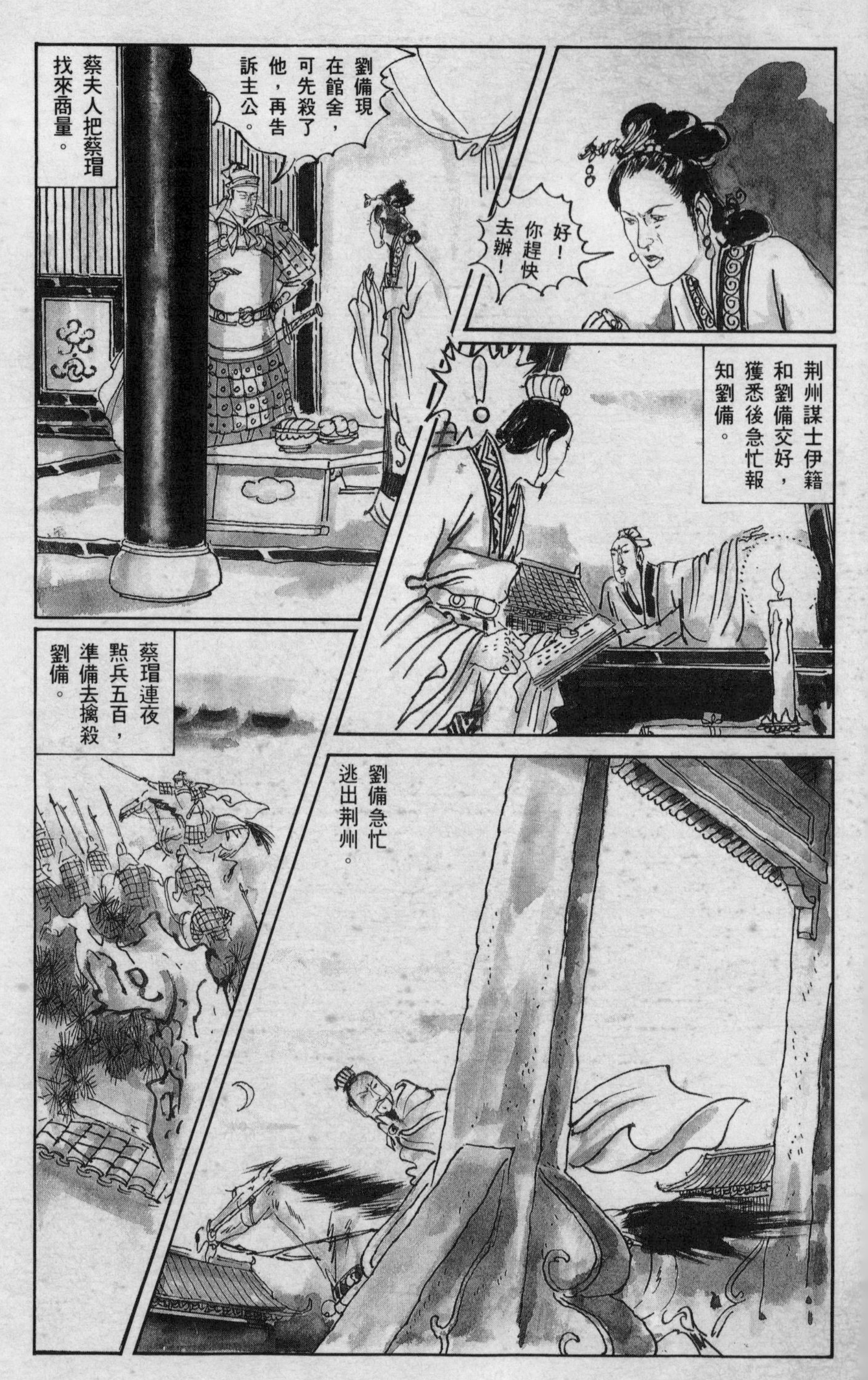
蔡夫人把蔡瑁找來商量。
劉備現在館舍，可先殺了他，再告訴主公。
好！你趕快去辦！
荊州謀士伊籍和劉備交好，獲悉後急忙報知劉備。
蔡瑁連夜點兵五百，準備去擒殺劉備。
劉備急忙逃出荊州。

他又生一計，在牆上題了四句詩。
蔡瑁撲空。
劉備不辭而別，在館舍題下四句反詩。
他回馬來見劉表。
數年徒守困，空對舊山川，龍豈池中物，乘雷欲上天。
你這忘恩負義的東西，我一定要殺了你！

兵馬已備，主公可到新野去擒劉備問罪！

劉表走了幾步，忽然醒悟。
過去從未見劉備作詩，必是外人離間之計。

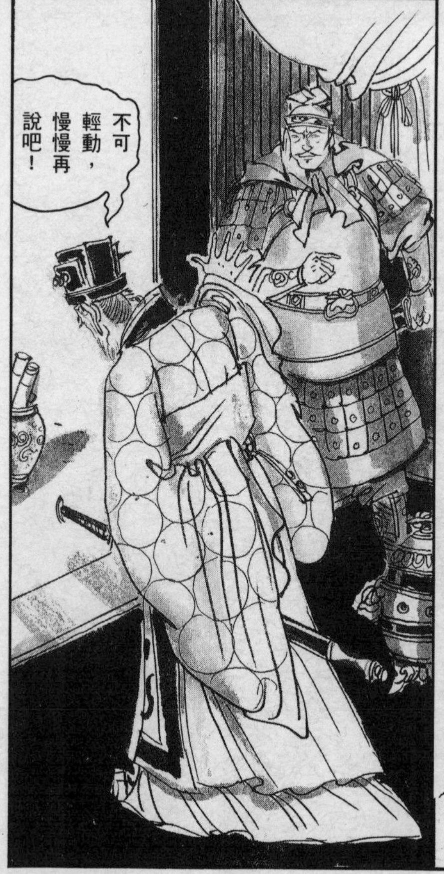
不可輕動，慢慢再說吧！

蔡瑁一計不成，又和蔡夫人商量。
主公優柔寡斷，不如……
好！

第二天，蔡瑁去見劉表。
荊州各地官員慶賀豐收，聚會襄陽，主公去不去？
我痰喘病發，可請劉備代我赴會。

蔡瑁暗喜，派人去請劉備。
劉表雖無害我之心，但蔡瑁不懷好意，你們看是去還是不去？
我帶三百人馬同去，保定主公無事。

主公密令在席上殺劉備，可趙雲寸步不離，怎麼辦？
可在外廳另設一席，招待武將，調開趙雲，然後下手。
劉備帶着趙雲，一起來到襄陽赴宴。
蔡瑁在外廳擺下酒席，招待趙雲，命武將文聘、王威等作陪。

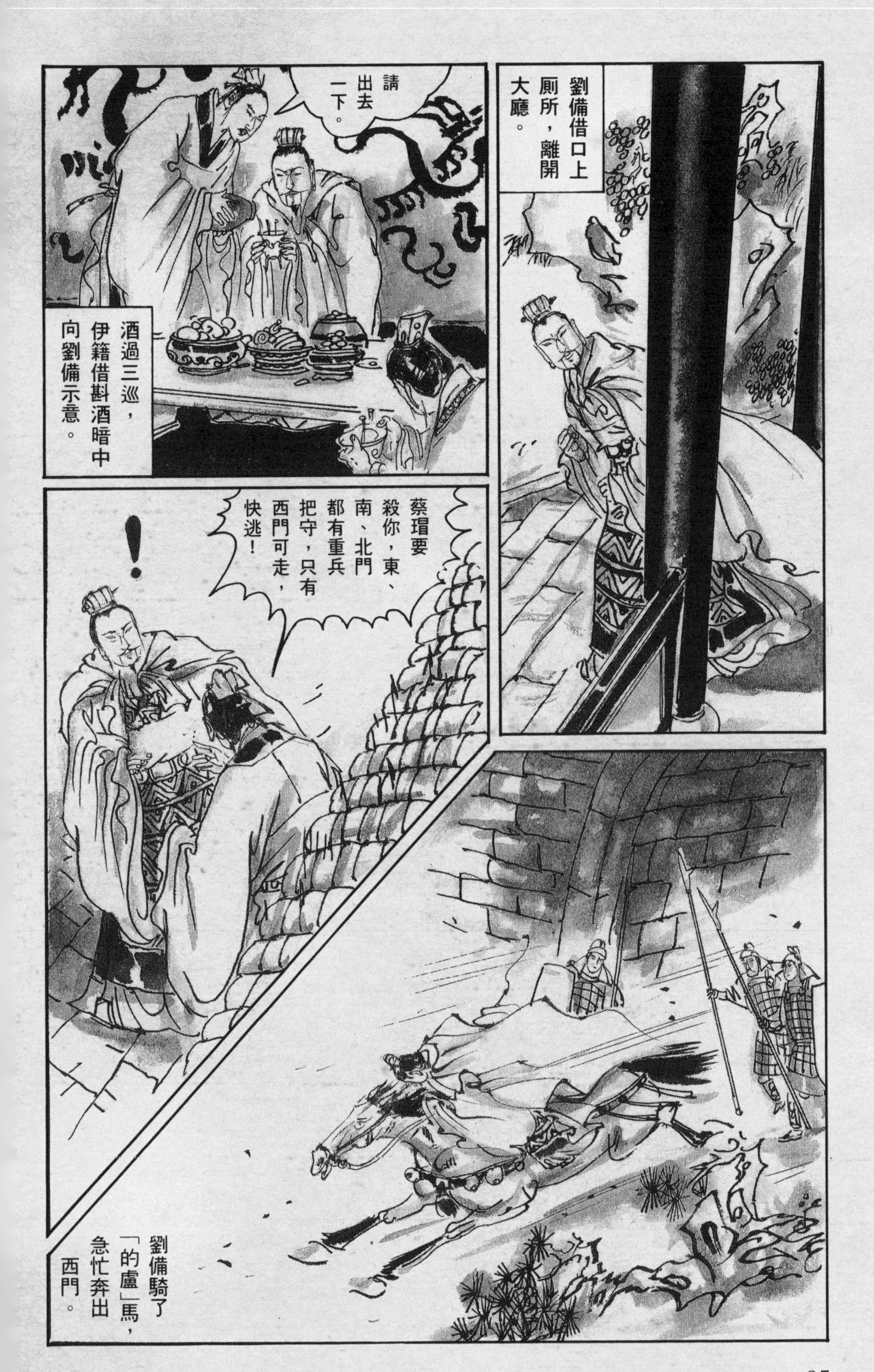
劉備借口上廁所，離開大廳。
請出去一下。
酒過三巡，伊籍借斟酒暗中向劉備示意。
蔡瑁要殺你，東、南、北門都有重兵把守，只有西門可走，快逃！
!
劉備騎了「的盧」馬，急忙奔出西門。

蔡瑁獲悉，立即帶兵追趕。
追兵來了，死路一條了！
劉備一口氣來到檀溪旁。
大河攔路，怎麼辦？
走投無路，縱馬跳下溪去！

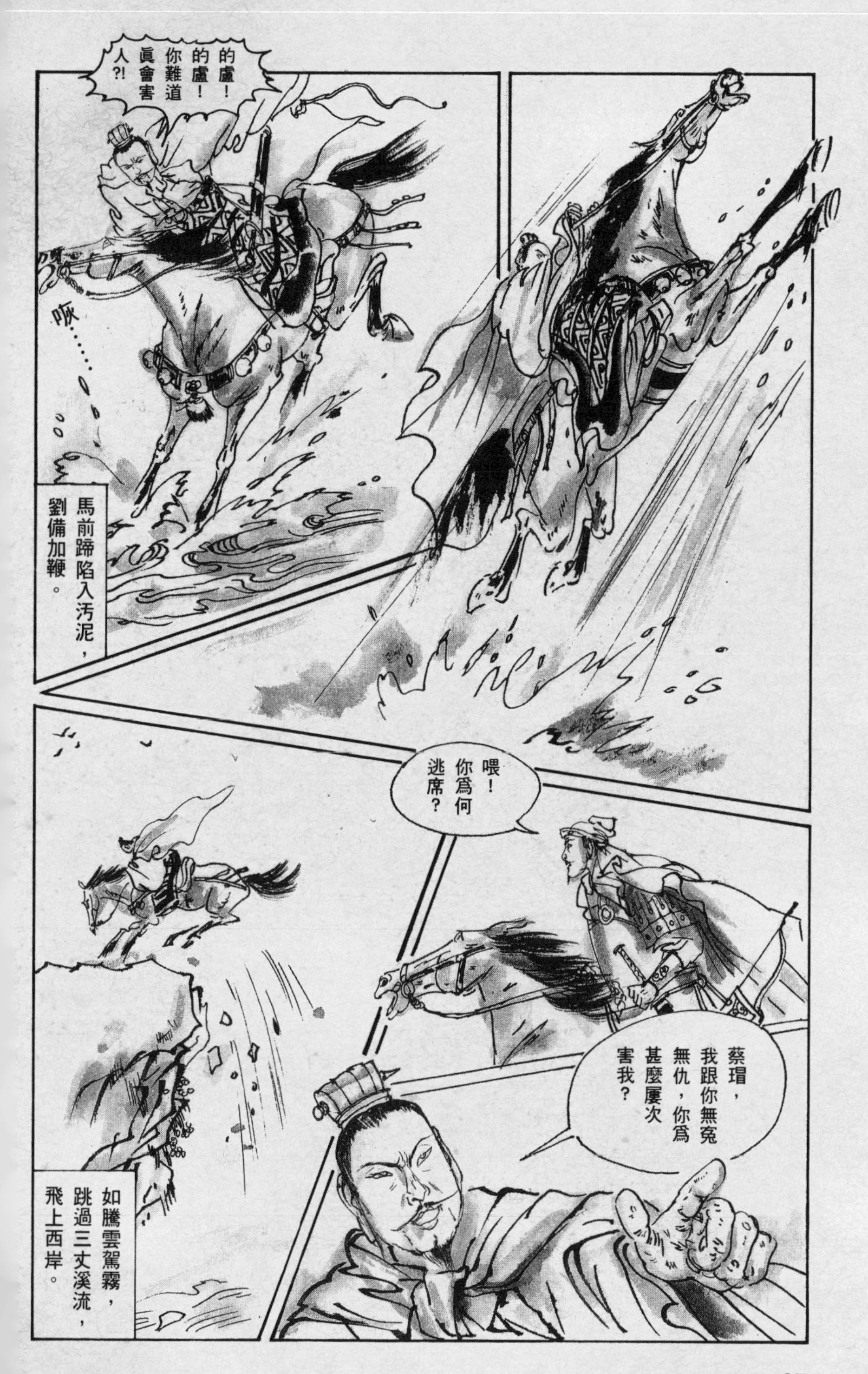
的盧！的盧！你難道眞會害人?!
咴……
馬前蹄陷入汚泥，劉備加鞭。
喂！你爲何逃席？
蔡瑁，我跟你無寃無仇，你爲甚麼屢次害我？
如騰雲駕霧，跳過三丈溪流，飛上西岸。

劉備見了蔡瑁搭箭，慌忙向西南方向逃去。
哪有這事，你不要聽人挑撥。
我的主公在哪裏？
他難道有神仙相助，竟能跳過檀溪？
他忽然逃席，躍馬跳過檀溪走了。

五

計襲樊城

曹仁李典自招其辱

計襲樊城，說的是劉備得到化名為單福的徐庶之助，在大敗曹仁與李典二萬五千兵馬的同時，還不費吹灰之力，得佔樊城。

徐庶成為了焦點之餘

讀這末一個故事，我們的焦點很容易便落到徐庶的身上，曹仁擺出了一個「八門金鎖陣」，是靠了徐庶的指點，趙雲才破得了；曹仁不甘失敗，與李典一起夜襲新野，也因為徐庶有預見，調兵遣將得宜，以趙雲與張飛大破曹兵，曹仁兵敗，要退回樊城，可是徐庶早派了關雲長，乘著樊城的空虛，一舉把樊城佔了。這末一來，曹仁便兵敗如山倒，他唯一能夠做的事，便是逃回許都，向曹操請罪。

毫無疑問，徐庶是很突出的，然而，我們說，曹仁的兵敗，也不僅僅是因為劉備有了徐庶為軍師。

曹仁李典的懷有二心①

曹仁在親自領兵進襲新野之前，是先派了呂曠和呂翔二將率五千精兵去取劉備之首級的，結果是二呂都給殺了。這個時候，曹仁和李典已經開始不和了，李典主張上報曹操，讓曹操派來大軍，但曹仁以為不可，立即

就要以餘下的二萬五千兵馬去報仇雪恨，踏平新野；李典聽曹仁那樣說，便表示由他來留守樊城，曹仁又不允，認爲李典如果那樣做，便表明了是與他懷有二心，逼使李典和他一起去。

①二心：背叛之心。

曹仁大軍到了新野，第一仗出師不利，李典認爲不可輕敵，建議先退兵，回到樊城，再作計議，曹仁大怒，要斬李典，在衆將苦勸之下，才免了李典一死，卻不再讓李典領前部而改領後軍了。

還有，曹仁自己也敗陣之後，再與李典商討對策，李典表明他「甚憂樊城」，也不認爲曹仁的夜襲可行，但曹仁執意要那樣做。

作爲輔助者的大責任

這是說，曹仁和李典的不和，已經是很明顯的了。主帥不和，何以領軍？起碼，自己的軍心也受到了影響。在這事情上，曹仁固然要負較大的責任，他不夠冷靜，有的時候還相當毛躁，完全聽不進李典的意見，一意孤行，結果是招致大敗，還賠上了許多人命；可是，另一方面，李典也得負上一部分的責任。

李典第一沒有很好地說服曹仁，第二沒有很好地輔助曹仁。在他與曹仁之間，始終是以曹仁爲主，李典爲輔，在這末一個關係裏，再加上身處戰局，倘若完全扭轉曹仁的決策是沒有可能的事，李典也得盡了自己的能力，在輔助曹仁的同時，也做一些補救的功夫，減少損失，現在，我們看到的是，李典並沒有做到這方面的事。

要扣徐庶這軍師的分

李典與曹仁的不和，事情已經鬧得很大的了，徐庶不可能一點也不曉得——如果真的是這樣，那便說明了徐庶對對方的軍情了解得很不足夠，在「知己知彼」這個標準上，他是要扣分的。徐庶如果能把曹仁與李典的不和都利用上的話，他所取得的勝果便可能更大了！

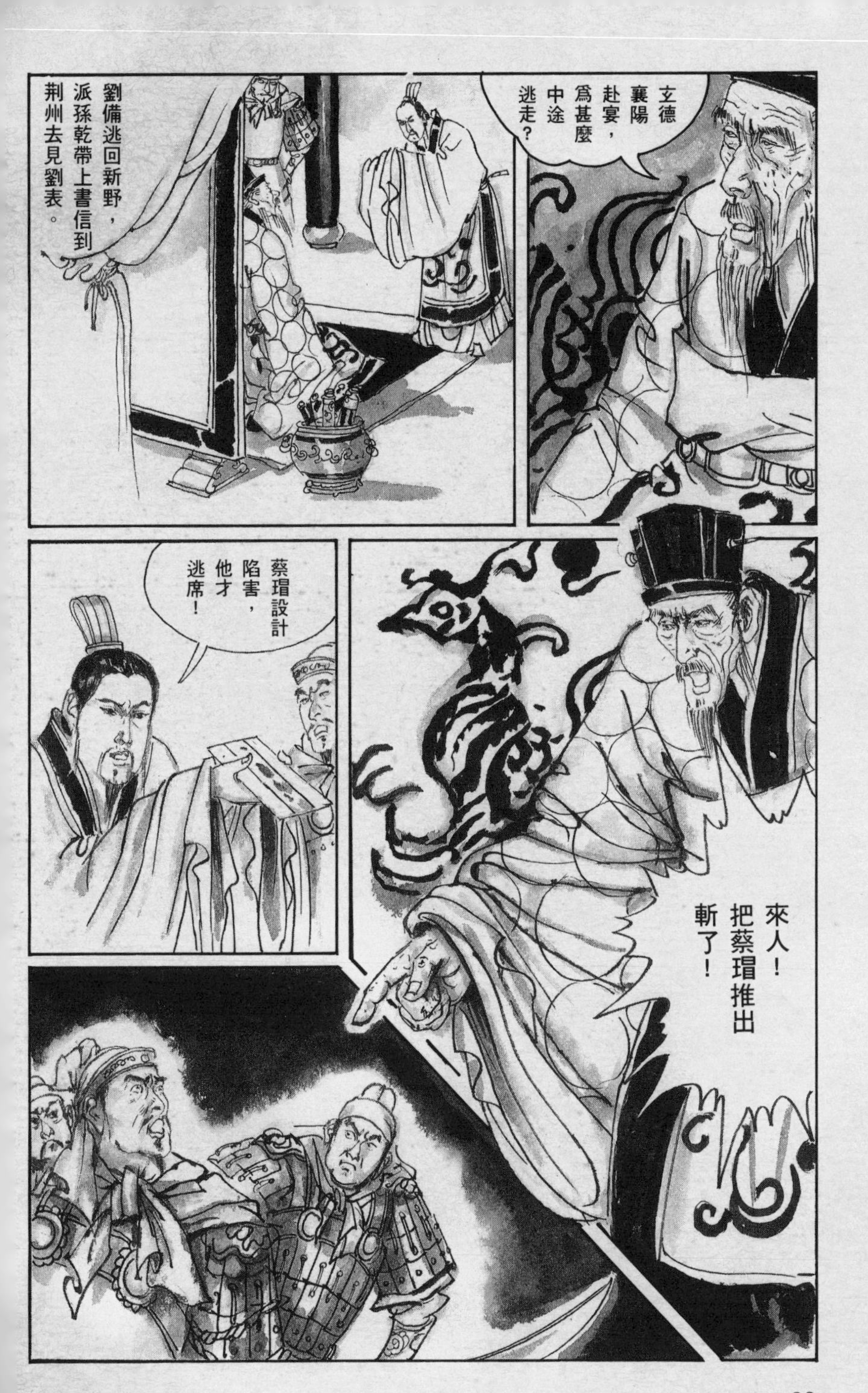
玄德襄陽赴宴，爲甚麼中途逃走？
劉備逃回新野，派孫乾帶上書信到荊州去見劉表。
來人！把蔡瑁推出斬了！
蔡瑁設計陷害，他才逃席！

殺了蔡瑁，皇叔不能在此安居了。
我弟弟無知，望請饒恕。
把他放了！
謝主公不殺之恩！

劉表又派長子劉琦到新野向劉備請罪
你父親待我情同手足，小人挑撥，我不會放在心上的。
劉備設宴招待，劉琦忽然落淚。
後母蔡氏，常想謀害，侄兒無法免禍，請叔父指教。
只要小心盡孝，自然能免除災禍。
第二天，劉琦垂淚拜別，返回荊州。

劉備回城，看到街上有人高歌而來。
山野有賢士，欲投明主；明主求賢啊，卻不知有我！
這人抱負不凡，一定是個人才！
劉備把他邀入縣衙。
劉備拜單福爲軍師。

報！曹洪派呂曠、呂翔領兵五千來犯新野。
曹兵前來征伐，請軍師調度迎敵。
好的。
關羽，你率二千人馬從左而出。
是！
趙雲，你率軍二千，和主公一起正面迎敵。
是！
張飛，你率二千人馬從右而出。
是！

劉備、趙雲帶二千人馬，出城和曹兵對陣。
呂曠別囂張。
劉備，快下馬受縛！
如此膿包，送你上西天！
啊！
衝啊－
殺啊－
呂翔抵擋不住，引軍敗退。

敗兵逃回樊城，向曹仁報告。
曹仁大怒，與副將李典率兵二萬五千，殺向新野。
曹
報！曹仁率領大軍，殺奔而來。
他起兵來攻新野，後方一定空虛，我們乘機進襲樊城。
敵衆我寡，怎麼辦？

如此如此……
軍師有甚麼妙計？

趙雲出戰李典，李典大敗。
曹仁兵至新野、雙方對陣。
劉備，你識這陣嗎？
第二天，曹仁布下「八門金鎖陣」，與劉備決戰。
這是八門金鎖陣。
劉備、單福登高而望。

趙雲，你從東南生門攻進去，從正西景門殺出，其陣必破。
是！
怎麼破？
常山趙子龍闖陣來了！
趙雲從生門殺向景門，曹陣大亂。劉備乘勢攻擊，曹兵大敗。

當夜，曹仁又率兵來劫劉備營寨。
曹仁，你又中計啦！
?!
曹仁，你逃不了啦！
!

李典保着曹仁，下船渡河，曹軍大半淹死河中。

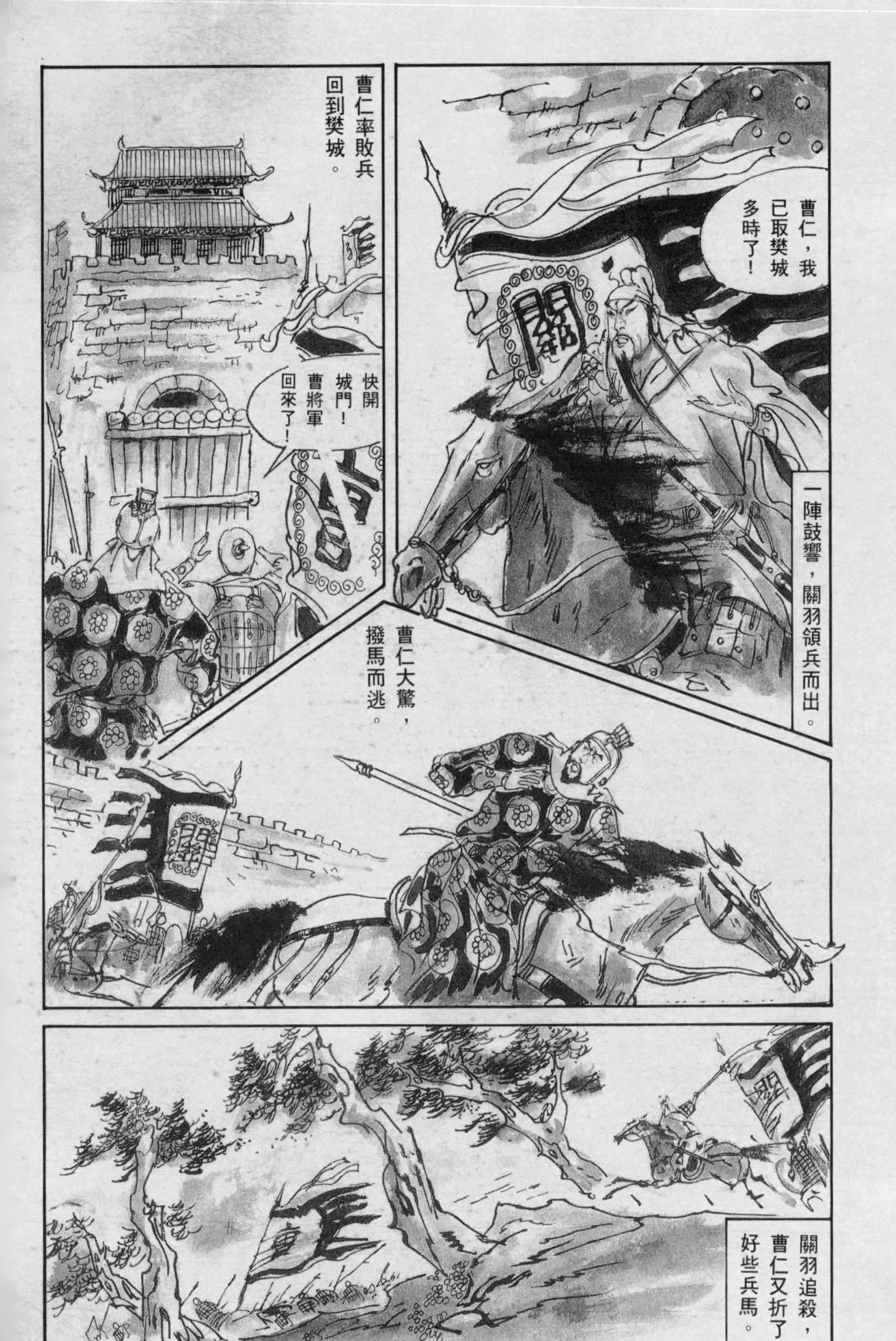
曹仁率敗兵回到樊城。
快開城門！曹將軍回來了！
一陣鼓響，關羽領兵而出。
曹仁，我已取樊城多時了！
曹仁大驚，撥馬而逃。
關羽追殺，曹仁又折了好些兵馬。

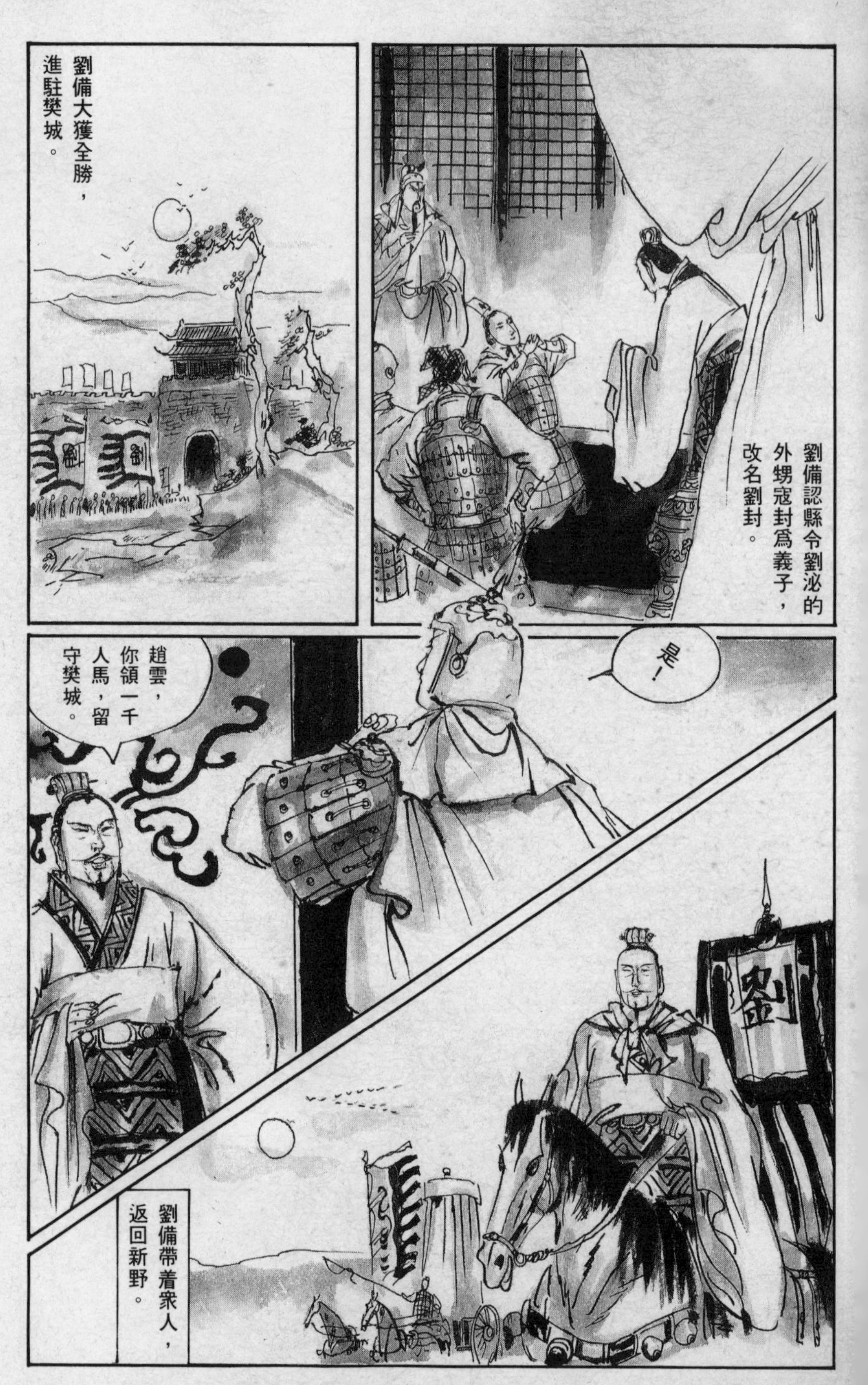

劉備認縣令劉泌的外甥寇封爲義子，改名劉封。
劉備大獲全勝，進駐樊城。
是！
趙雲，你領一千人馬，留守樊城。
劉備帶着衆人，返回新野。

六 走馬薦諸葛

氣勢凌厲的背後

《三國演義》裏，劉備被追殺，獨自騎着「的盧」馬逃亡，躍過闊達數丈的檀溪，大難不死，卻激發起努力自我加强之心。

將才好須有善用之人

其實，到了這個時候，「天下」已隱隱然劃分成三股勢力，一是曹操，二是孫權，三是劉備。前二者，有地有人有勢，比較穩固，劉備相形見絀①，然而，根據《三國演義》所載，在某個程度上，劉備雖有缺點，卻是人心之所向。這是一種重要的基礎。劉備過了檀溪，鬱悶之際，偶遇「水鏡先生」司馬徽，經他提點，明確地知道，關雲長、張飛、趙雲雖然各自能敵萬人，但一直發揮得不好，輔助劉備不力，關鍵之處，是「無善用之人」，「若孫乾、糜竺輩，乃白面書生，非經綸濟世②之才也」。劉備接受了司馬徽的意見，決心訪覓賢才，這也成爲了他日後三顧草廬的伏筆。

劉備仁德能招賢納才

「三顧草廬」的故事，傳頌千古，成爲美談。領導者「求才若渴」、「知人善用」，已經是全科玉律了。其實，在「三顧草廬」之前，劉備與徐庶的一段交往，再由徐庶

①相形見絀：相比之下，有一方顯得力量不足。
②經綸濟世：治理國事，挽救時局。

引出「臥龍」——孔明，也是佳話，化名爲單福的徐庶有一身才學，他在決定輔助劉備之前，先以劉備的「的盧」馬來試探劉備，看看他是否有仁德。他說，「的盧」終有一次會妨主，化解之法，是把「的盧」送給仇人，待牠妨了那人之後，再取回，便無事。劉備聞言色變，表明不會做如此「利己妨人」的事。劉備的這個反應，得到徐庶很高的分數。這也說明了，要得到有才學的人，要使到有才學的人眞誠相助，作爲領導者，也得有使人敬重的本事。這本事，首先不是才學武功，而是仁德。起碼，只有具備仁德的領導者，才能夠容得有文才武略的人在身邊，才能眞正發揮他們的作用；另一方面，這樣的領導者，也能夠感化奇人異士，予以衷誠的襄扶，使他的事業得以壯大、發展。

行家出手便知有沒有

劉備請了徐庶當他的軍師，在接下來的兩場跟曹操對抗的戰事裏，都得到了勝利。這兩場戰事，劉備面對的，都不是曹軍的主力，但重要在於，劉備贏得漂亮，絕不拖泥帶水。我們看到，關、張、趙均如虎添翼，勇冠三軍。這是由於徐庶確有他的軍事才能，既能看到對方的破綻，也指揮若定。而，這兩場戰事的勝利，亦叫曹操看到了，劉備軍中，必有能人。他說：「勝負乃軍家之常。但不知誰爲劉備劃策？」曹操一語中的，這也是他厲害之處。

「行家一出手，便知有沒有。」曹操自然是大行家。所謂「有沒有」，指的不是表面。如果光看表面，也是不容易看到「有沒有」的，甚至把「有」看成「沒有」，把「沒有」看成「有」。「鞭辟入裏」，才看得眞切。我們看人家的成敗，也是如此。「成敗不足以論英雄」，說的恐怕也就是這末一回事。重要的，是看到成敗背後的東西。只有這樣，才能眞正的論英雄，知道人家了不起的，是甚麼地方。否則，光是因爲人家的勝利或淩厲而鼓掌，那是沒有意思的；那樣的鼓掌，人人都懂得。人家鼓掌，自己也鼓掌，但自己鼓掌的內容與人家的不同，那才不簡單。

劫徐母曹操心腸太狠

曹操劫去徐庶的母親，迫令徐庶離開劉備，折其一翼。徐庶不得不就範，劉備也不得不放人。孫乾獻計，以爲劉備不放人爲上策，因爲這會迫使曹操斬徐母，徐庶喪母，急於報仇，便會力攻曹操，可是，劉備堅決不作這不仁不義的事。結果，劉備給徐庶送行，送了一程又一程。徐庶表示，他的方寸已亂，即使留下來也再幫不了劉備，但他爲劉備的行事所感動，向他推薦了「天

下一人」的孔明，後來還親自上門，勸說孔明輔助劉備，雖然未能一擊即中，也種下了基礎。

徐庶在方寸已亂的時候，還能夠勉力做出這樣的事，可見他對劉備的衷誠。宏觀地看，這也是「種瓜得瓜，種豆得豆」。

曹仁逃回許都，向曹操請罪。
勝敗乃兵家常事，只不知是誰爲劉備出謀劃策？
聽說劉備新拜的軍師叫單福。
程昱，你可知道單福這個人？
知道，他的眞名叫徐庶，號元直。
他的才能比你怎麼樣？
勝我十倍。

我有辦法讓他來幫助丞相！
哎！可惜這樣有本領的人，投到劉備那邊去了，怎麼辦？
快說！有甚麼妙計？
徐庶是個孝子，把他老母騙來許都，叫他母親寫信召他來就行了。
曹操派人把徐母接到許都，讓她寫信去召徐庶。
無恥！你名爲漢相，實爲漢賊，我怎會叫兒子棄明投暗呢？

來人！把這老婆子推出去斬了！
徐母又抓起石硯，擲向曹操。

曹操把徐母軟禁起來。
不能殺！你殺了徐母，徐庶永不會來助你的！留下徐母，我自有計策把徐庶騙來！
程昱假稱曾和徐庶結爲兄弟，常來看望。

程昱摹仿徐母筆跡，寫了封假信給徐庶，稱徐母被囚，要徐庶速去許都。
時間一長，騙得徐母筆跡。
我雖捨不得軍師，可不能不讓你盡孝呀！
兩人相對而泣。

第二天，劉備在長亭爲徐庶餞行。
劉備福淺，不能和先生相聚始終，願先生前途珍重！
先生去後，不知甚麼時候才能相會。
我去許都，全爲營救母親。縱使曹操相逼，決不爲他効力。
劉備不忍相離，送了一程又一程，最後才含淚告別。
軍師走了，我怎麼辦呀？

徐庶忽然撥馬而回。
軍師，你改變主意，不去了嗎？
你得親自去請，他才有可能出山相助！
不！我因爲心亂如麻，忘了告訴你，襄陽城臥龍崗，有位天下奇才，名叫諸葛亮，字孔明，被稱臥龍先生。
那你快幫我去請他！
他的才能比你如何？
勝我百倍。你如得他相助，何愁不能平定天下。
我一定親自去請！

是母親寫信叫我來的呀！
你怎麼到這兒來了？
徐庶來到許都，拜望母親。
徐母憤而自殺。
你這沒出息的東西竟連一封假信也看不出來！你還有甚麼臉面見我？
徐庶葬了母親，人雖在許都，卻從不爲曹操出謀劃策。

七

諸葛亮出山

劉備「三顧草廬」，是一段佳話。要把事情做好，要發展我們的事業，需要人才。人才難得，自古而然。劉備「三顧草廬」是求取人才的典型故事之一。

念三顧之恩諸葛出山

爲甚麼人才難得呢？我們以爲，在「人才難得」這四個字裏，關鍵在於「難得」二字。人才，總是不多的，這一點可以肯定。那末，人才可不可以培養呢？「培養人才」是常常說的了，這似乎肯定了，人才是能夠培養出來的。不過，人才也分爲幾類，其中，最優秀的一類，大抵不能僅靠培養而得，孔明便是這一類。培養出來的人才，質素比一般人好，自然也會成爲我們事業的輔助。在出色的領導、指揮之下，便能發揮更大的作用。

人才的難得，在於能不能把出衆的人才收爲己用，是否收得了。大才，或大賢，通常都不是容易請得動的。他們有自己的一套處事準則，也有自己的一套價值標準。例如，孔明在答應爲劉備效勞的同時，便對弟弟諸葛均說：「吾受到皇叔三顧之恩，不容不出。汝可躬耕於此，勿得荒蕪田畝。待我功成之日，即當歸隱。」

深藏不出爲修煉自身

後人提到這件事，所看到的，往往是孔明「身未升騰思退步」這一點。無疑，這一點是重要的，但是，孔明那番說話，其實也包含了另一個意思，就是囑咐弟弟不要輕出。世事都是這樣的，易放，卻難收。未到可放可收、收放自如的地步，便不要放。放與收，露與藏，都要守這麼一個準則。「藏頭露尾」是貶語，是藏得不到家，或是急於露。喜歡露一手的人實在太多了，露不上一手的，露半手也好。孔明的露，是立足於藏。他要弟弟「躬耕於此」，也便是要藏，不要露。

易露，是一種敗象——敗象已露。孔明的藏，在他居處中門所書的聯語已見徵兆：「淡泊以明志」，「寧靜而致遠①」。劉備二顧草廬之際，看見草堂上有一少年擁爐抱膝而歌：「鳳翱翔於千仞兮，非梧不棲，士伏處於一方兮，非主不依。樂躬耕於隴畝兮，吾愛吾廬；聊寄傲於琴書兮，以待天時。②」

這歌，也有很强的藏的意味。自己未到露的時候，露的機會未到，不如藏。這，不是歸隱，因爲，還沒有出，又怎談得上歸？

諸葛均也不是沒有才能。起碼，他受到其兄諸葛亮的薰染。還沒有見過孔明的劉備，以爲他就是孔明呢！

①淡泊明志，寧靜致遠：恬靜寡慾，志向遠大。

②鳳翱翔於千仞兮……以待天時：鳳凰在高空飛翔，找到梧桐才會築巢；讀書人隱居在山林裏，見到明主才肯歸附他。我在田隴裏耕作，自得其樂；我喜愛我簡陋的草屋。我把讀書人的孤高自傲暫且寄託在古琴和書本上，以等待時機。

與高人交往互相砥礪

孔明對其弟的訓誨，出於：一、他對其弟的了解，二、他對天下的認識。孔明的藏，並非不出門。事實上，劉備一次再次的登門拜訪而不遇，都是出於同一原因，就是孔明出門去了。孔明「或駕小舟遊於江湖之中；或訪僧道於山嶺之上；或尋朋友於村落之間；或樂琴棋於洞府之內：往來莫測，不知去向」。就《三國演義》的介紹，孔明當時所結交的，如司馬德操（司馬徽）、徐元直（徐庶）、崔州平、石廣元、孟公威等等，皆是高人。孔明常常外遊，與高人交往，互相砥礪；吸收山川靈氣，也是一種修煉。

「近朱者赤，近墨者黑③」。近朱、近墨之外，推而廣之，還可以看看，近的是哪一個水平的人。喜歡近低水平的人，在他們的面前炫耀，是沒有志氣的表現；與水平相若的人交往，常加切磋，甚至有意接近水平比自己高的人，以激勵自己精進，是有作爲的。

孔明的那種藏法，是使自己變得更加深厚。也只有深厚，才能夠藏得好。孔明一號伏龍，又稱臥龍先生。這龍，非游於淺水。

③近朱者赤，近墨者黑：靠近朱砂容易染成紅色，靠近墨就會變黑。比喻人每因所接近的人品德的好壞而受其影響，改變秉性。

劉備大賢得人和之利

說到判別人才的標準，我們在這裏也大致可以尋得。另一方面，這也是我們自省的一個重要內容。浮躁，沉不住氣，喜歡露一手，都是難以成大事的。要成事，外，得求突出的人才，內，則多檢視自己，努力改進，特別是在品德方面多加雕琢，以成爲「美玉」。對於領導人來說，品德較諸才能更加重要。領導的最大本事，在於用人，能招攬人才，用得恰當，便可以成事，問題在於，人才的樂於效勞，往往要看領導者的品德。孔明看的也是這一點，他指劉備「信義著於四海」，而，三國鼎足之勢，「北讓曹操佔天時，南讓孫權佔地利，將軍可佔人和」，人和，便跟劉備的品德大有關係。劉備能夠招攬孔明爲己用，三顧之外，主要靠此了。

劉備回到新野，備下禮物，到隆中去請諸葛亮。

請問諸葛亮先生住在哪裏？
前面臥龍莊就是。
劉備特來拜見諸葛孔明。
你找誰？
唉！怎得這般不巧！
先生一早出門雲遊去了，也許要十天半月才能回來。

既然不在，先回去吧！
再等一會兒。
先回去，探得先生回家再來。
好吧！
先生回來，說劉備來拜訪過了！
知道了。
回到新野。
你每天去隆中打探，諸葛亮一回來，立即稟報。
是！

過了些日子。
報！諸葛亮已回莊。
備馬！
一個鄉巴佬，派人把他叫來就是了！
孔明是當世奇才，怎能派人去叫？我親自登門去請，還恐怕他不肯出山呢！
時值隆冬，三人冒着風雪，再次前往臥龍莊。

天越冷，越顯出誠意。你如怕冷，先回去吧！
這種鬼天氣，連仗都不能打，出來活受罪！
死都不怕，怕甚麼冷。我怕哥哥白費心思。
那就不要多話，快走吧！
正在堂上看書。
先生今日在家嗎？

將軍莫非是劉豫州，前來找我二哥孔明？
今天得見先生，實在萬幸。
是的。
你是孔明的弟弟？
你二哥今天在家嗎？
他出遠門了，過幾天回來。
！

無奈，劉備留下一封短信，表示仰慕之情。
風大雪大，先生既不在，走吧！
唉，我福氣不好……
待二哥回來，我告訴他去回拜將軍。

不敢驚動令兄。過幾天我再來拜訪。

這種鄉巴佬不懂禮貌，我去把他綁來！
哥哥兩次相訪，不見他來回拜。想來他徒有虛名，所以避而不見。

今天我們再去拜訪諸葛亮。

既要同去，決不可失禮。
一定！一定！
你如此無禮，今天不要去了，我和雲長去吧！
你倆去我怎能不去？

三人來到臥龍崗畔，遇到諸葛均。
你二哥在家嗎？
昨晚才回來。

請告訴先生，劉備前來拜訪。
先生睡午覺還沒醒來。

那就不要驚醒先生。我先進去，兩位賢弟在門口等着。

劉備進內，看到草堂上有人睡着，便在階下靜候。

這先生如此傲慢，等我到屋後放一把火，看他起不起來。
怎麼這麼長時間，裏面還沒動靜，進去看看。
是！
別嚷嚷！你倆仍到門外去等。
氣死我了！
三弟，不可胡來！

為甚麼不早些通報？讓我換了衣服出去相見。
有人找我嗎？
劉皇叔已等很長時間了。
又過了一個時辰，諸葛亮才醒來。
我志在天下，但心有餘而力不足，望先生指教。
現在曹操擁有百萬大軍，以天子的名義號令諸侯，誰也奈何不了他！

將軍可先取荊州，再取益州，聯合孫權，抵拒曹操，形成三足鼎立的局面，然後逐鹿中原。

孫權佔據江東，民心歸附，且有長江天險，只能與他交好，而不能去侵犯他。

先生的話，使我茅塞頓開，望先生出山相助。
將軍三顧茅蘆，盛情難卻，我願盡心效勞。
諸葛亮下山了！他將輔佐劉備，幹出一番轟轟烈烈的事業。

八
孫權伐黃祖

孫權伐黃祖這個故事裏，關鍵的人物有兩個，第一是甘寧，第二是孫權。至於黃祖，只是陪襯而已。

錦帆賊曾縱橫於江湖

甘寧是甚麼人？《三國演義》有這樣的介紹：

寧字興霸，巴郡臨江人也；頗通書史，有氣力，好遊俠；嘗招合亡命，縱橫於江湖之中；腰懸銅鈴，人聽鈴聲，盡皆避之。又嘗以西川錦作帆幔，人皆稱爲「錦帆賊」。後悔前非，改行從善，引衆投劉表。見表不能成事，即欲來投東吳，卻被黃祖住在夏口。前東吳破祖時，祖得甘寧之力，救回夏口；乃待甚薄。

所謂「前東吳破祖」，指的是孫權經過一番休養生息之後，引兵攻打黃祖，黃祖不敵，孫權的部將凌操，以輕舟殺入夏口，被甘寧一箭射死。當時，凌操的兒子凌統只有十五歲，拚命奪回父親的屍首，退回東吳。

金玉之論原本不易得

可以說，孫權的退兵，和甘寧是有一定的關係的，這一點，黃祖也不是不曉得的，然而，他始終因爲甘寧是「劫江之賊」，沒有重用甘寧。甘寧屈屈不得志，在孫權屬下將令呂蒙的引介下，投效孫權。

甘寧見到孫權，首先做的一件事，是分析天下大勢，黃祖眼中的「劫江之賊」，分析起天下大勢來，卻頭頭是道，顯示了他頗通書史的一面；他也從大局着眼，認爲孫權應該先取黃祖，否則讓曹操先取了，東吳便勢危了。那末，黃祖易不易取呢？甘寧說：「祖今年昏邁，務於貨利；侵求吏民，人心皆怨；戰具不修，軍無法律。」甘寧更說：「旣破祖軍，鼓行而西，據楚關而圖巴、蜀，霸業可定也。」甘寧此說，孫權盛讚爲「金玉之論」。

往往囿①於世俗的目光

這樣的一位人材，卻被黃祖視爲「劫江之賊」，這就是一般見識了，如果不是囿於世俗的目光，黃祖也一樣可以聽到甘寧的高論，從而自我得到改進。

接下來，孫權再度揮軍進攻黃祖，在江面上，兩軍一度僵持，也是甘寧，率領百餘隻小船，直插黃祖的戰艦旁，取得了突破，後來甘寧還一箭射死了黃祖。

甘寧當然深知以小船冒進的危險性，當日凌操以輕舟圖突破，就是被他射死的，可是，他就是甘願冒這個險爲孫權拚命。倘若孫權旣視甘寧爲劫江之賊，又記着甘寧殺凌操之恨，那末，他就一定用不上甘寧，也就不容易取得這場戰役的大捷了。

①囿：局限，限制。

孫權繼承父兄
基業，據守
江東，日漸强盛。
闞澤、朱桓、
陸績、呂蒙、
陸遜、徐盛、
丁奉等文臣武將
爭相歸附。
曹操打敗袁紹後，
派使者來見孫權，
要孫權遣兒子
入朝隨駕。
這是曹操
挾制諸侯的
策略，但如果
不去，曹操
興兵南下，
將十分危險。
孫權和吳太夫人召
張昭、周瑜等商議。

公瑾說得對！
入朝隨駕，是做人質。我們兵精糧足，不怕曹操，別理睬他。
孫權不肯送子入朝，野心不小！
請回稟丞相，我兒年紀尚小，不能入朝隨駕。
我不會放過他！等訓練好水軍，我就南征討伐他！

不久，孫權出兵討伐駐守在夏口的劉表部將黃祖。

大將凌操輕舟殺入夏口，被黃祖手下的將領甘寧一箭射死。
凌操年僅十五歲的兒子凌統奮力衝殺，奪回父屍。
孫權見出師不利，收兵回吳。

建安十二年冬，吳太夫人病危，召見張昭、周瑜。
是－
你倆要好好輔佐我兒，共成大業。
你要用對師長的禮節對待他們！
是－
是！
囑咐孫權。

我妹妹和我一起嫁給你父親，今後待她，要像待我一樣！

是！

娘——
你妹妹，要給她找個好夫婿。
是！
囑咐畢，她閉目辭世而去。

第二年春，孫權又準備出兵討伐黃祖。
甘寧因得不到黃祖重用，前來投誠，但恐主公記恨，不敢來見。
你放心，做事各爲其主，我不會記恨的。我想討伐黃祖，你看怎麼樣？
我得甘寧，一定能打敗黃祖，快請他來見我。
黃祖年老昏邁，毫無戰鬥準備，主公出兵，必然獲勝！

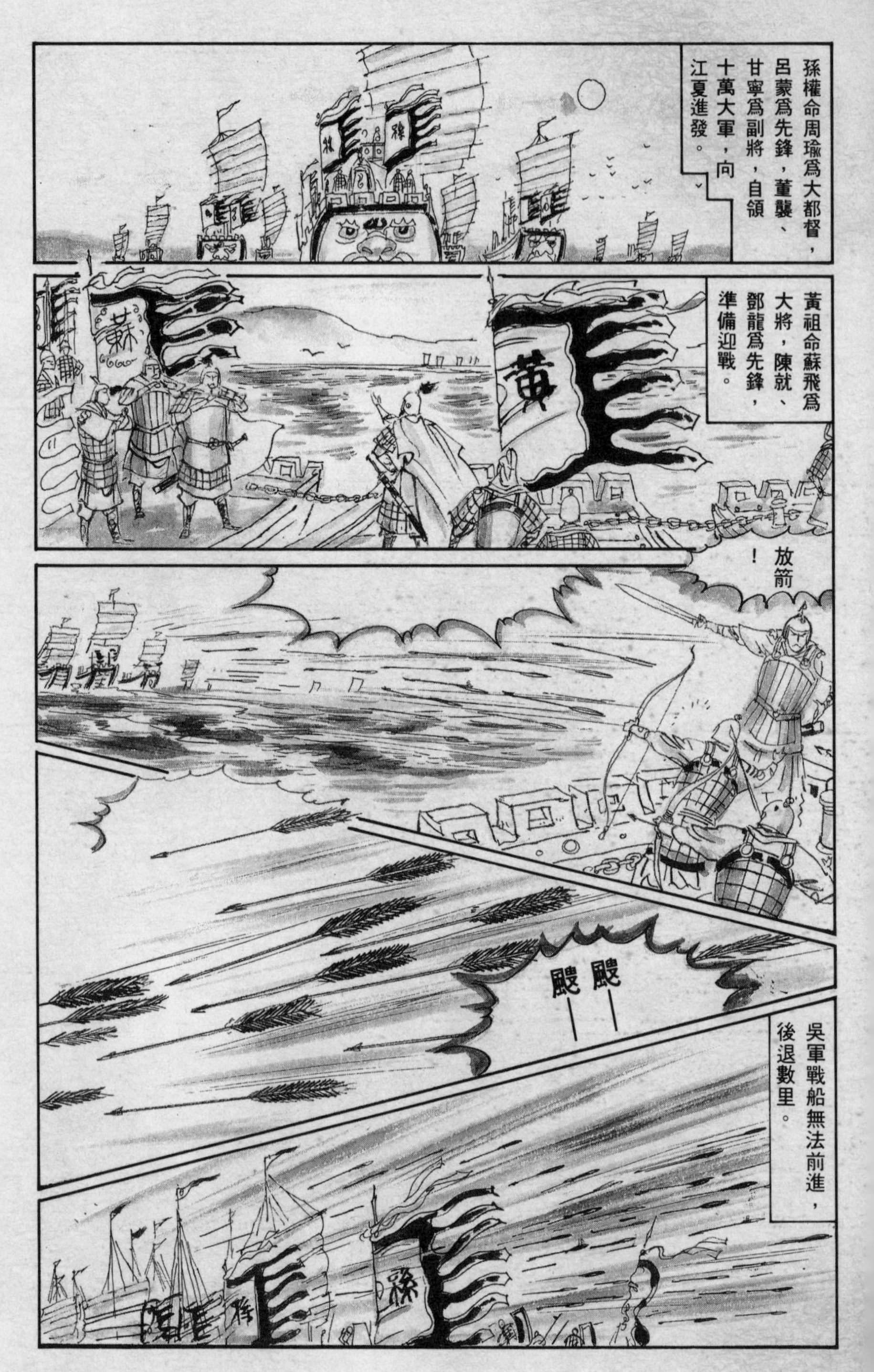
孫權命周瑜爲大都督，呂蒙爲先鋒，董襲、甘寧爲副將，自領十萬大軍，向江夏進發。
黃祖命蘇飛爲大將，陳就、鄧龍爲先鋒，準備迎戰。
放箭！
颼颼
吳軍戰船無法前進，後退數里。

主公，我帶小船衝過去，砍斷大索。
好！
甘寧率兵跳上戰船，殺死鄧龍。
啊——
呂蒙率軍趕到，放火燒船。

陳就，你往哪裏逃？
啊！
蘇飛率軍從岸上趕來接應。

蘇飛被東吳大將潘璋活擒。
衝啊
殺啊

孫權率大軍直抵夏口，日夜攻打。

黃祖，你往哪兒逃？

我一向待你不錯，你何苦相逼？
我在江夏屢立戰功，你把我看作劫江賊，還好意思說待我不錯？

孫權班師
回到江東，
用黃祖
首級祭奠
亡父之靈。
孫權進駐江夏，
封甘寧爲都尉。

九

博望坡

為了智力的一場大比拼

有的人很喜歡說大趨勢，其實，趨勢不要輕言大。大趨勢就是不可逆轉。如果眞的是不可逆轉，那自然是大趨勢了。動輒說大趨勢，沒有了餘地，頗爲危險，在某個情況下，也說明了思想的呆板。比較起來，趨勢便較爲可愛了。例如，我們說，近年，「食腦①」已經形成了一種趨勢。

初用兵關張不得不服

「食腦」是智力的較量，表面看來，我自巋然不動，好像漫不經意，卻能夠後發先至，取得勝果，像劉備的軍師孔明就是這樣，他羽扇綸巾②，氣定神閒，卻能在千軍萬馬之中調遣得宜，節節勝利。他調遣的不僅是自己的兵馬，還包括了敵方的軍隊。他第一次調兵遣將，便已經是這樣。博望坡大捷，使關雲長與張飛心折。《三國演義》寫道：

關、張二人相謂曰：「孔明眞英傑也！」行不數里，見糜竺、糜芳引軍簇擁着一輛小車，車中端坐一人，乃孔明也。關、張下馬拜伏於車前。

關、張明白，是孔明的智力，使他們處身在兇險的戰場上可以暢達無阻，取得大捷而輕鬆平常。《孫子兵法》也指出，百戰百勝不是軍事家的最高境界，軍事家的最高境界是「不戰而屈人之兵③」，自己能保存實力，

所獲的勝果是最大的、最完整無缺的。看今日世界，也處處存在着你爭我奪，只是更講究「不戰而屈人之兵」，是智力的大比拼，「運籌帷幄之中，決勝千里之外④」。

在商場，「獵頭公司」的出現，也是重視智力的很好說明。獵頭，就是搜羅具有智慧的腦袋。道理本來是說得很清楚的，我們的手和脚是受大腦所指揮，不是手和脚指揮大腦。大腦就是這樣的重要。獵頭、食腦，依靠大腦作推進，是如此的順理成章。

潛藏修煉爲以後準備

到了今天，我們也曉得了，大部分人的智慧都是差不多的，特別聰明與特別愚蠢的只是少數。孔明也未必特別聰明。他「躬耕於南陽」，潛心修煉，劉備「三顧草廬」才出山，教我們看到了，他是謀定而後動。他早就享有「伏龍」之譽。所以，孔明的「初出茅廬」，也決非初生之犢⑤可比。

曹操曾於春天梅子青青之時這樣論龍：「龍能大能小，能升能隱；大則興雲吐霧，小則隱介藏形；升則飛騰於宇宙之間，隱則潛伏於波濤之內。方今春深，龍乘時變化，猶人得志而縱橫四海。龍之爲物，可比世之英雄⑥。」

「伏龍」孔明「初出茅廬」，也是在新春之時，「先生

①食腦：靠智力吃飯。

②羽扇綸巾：手裏拿着羽扇，頭上戴着絲帶做的頭巾。形容態度瀟灑，風雅閑適。

③不戰而屈人之兵：不用打仗便令對方失敗。

④運籌帷幄之中，決勝千里之外：在軍中的帳幕裏謀劃軍機，決定了千里之外戰場上的勝負。

⑤初生之犢：初生的小牛，比喻尚未入世、沒有處世經驗的年青人。

爾時年三九」，就是說，他是二十七歲。身懷絕學，卻二十七歲才出山，確是不辜負「伏龍」的美譽了。一般人看龍，總不離「龍騰虎躍」、「龍飛鳳舞」，曹操論龍，已屬勝人一籌，孔明的「伏龍」，便更不尋常了。

有一身本事卻「隱介藏形」、「潛伏於波濤之內」，也是一種智慧。懂得潛藏，能夠潛藏，甚至深藏不露，不輕易出手，大智若愚，大巧若拙，極不簡單。我們說，開發潛藏的智慧，不一定為了爭，為了奪，可能，開發潛藏智慧的結果，是藏，是伏，或者，那是應伏則伏，應奪則奪。世事原本錯縱複雜，人云亦云，只會暈頭轉向，不辨西東，只有提升智慧，釋出大腦潛能，才看得透，心底一片澄明。

開發大腦潛能長智慧

我常常記得外國童話故事《綠野仙踪》裏那迷途女孩脚上穿的鞋子，她是歷盡了千辛萬苦，到了後來才曉得，自己脚上的鞋子原來是有魔力的，只要懂得運用，便可以輕易地回到家裏。結果，女孩子就是靠了這對鞋子返回千里以外的家。這個童話故事裏的這雙鞋子，有着很大的隱喻，愈來愈震憾我的心靈。我們會不會都忽略了自己脚下的「鞋子」？這「鞋子」又到底是什麼？它的「魔法」是怎樣的？開發大腦潛能、提升我們的智慧，是很關鍵的事。

今天的科學家證明，統稱「巴魯赫音樂」（Baroque Music）的歐洲十八世紀音樂（包括了巴赫、貝多芬、海頓等音樂家的作品），由於音樂家們對音樂的某些方面作用有了共識，所以這種「巴魯赫音樂」到了今天被證實，有着協調大腦的功能，也就是說，能開發大腦潛能。

⑥龍能大能小，……可比世之英雄：龍能變大變小，能飛升，能隱形。當牠變成大龍的時候，能興雲吐霧；當牠變成小龍的時候，便能隱匿自己的身形；當牠飛升的時候，便在宇宙間遨遊；當牠隱蔽的時候，便潛伏在波濤之內。如今正是春深，龍正乘着時機變化，正如人得志時縱橫四海。龍這類的動物，可比世間的英雄。

看他年紀輕輕，能有甚麼眞才實學？
哥哥待他太過份了！

諸葛亮出山後，劉備拜他爲軍師，把他當作老師，事事請教。

關羽、張飛心中很不服氣，默默走開。
我得到孔明，如魚得水。你們以後不要亂說。

一天，劉表派人來請劉備，諸葛亮便陪同劉備來到荆州。

我年老多病，望你能來幫助我。我死後，你就是荊州的主人。
我想出兵攻打東吳，你看怎麼樣？
如果曹操從北面打來，怎麼辦？

這個重任我不敢擔當，但我一定會幫助你的。

諸葛亮示意，劉備答應下來。

你眞仁慈呀！
主公，你剛才爲甚麼拒絕？
劉表於我有恩，我怎能乘人之危，奪取荊州？
正在這時，劉琦前來拜見劉備。
我被繼母迫害，性命早晚不保，望叔叔救我！
我想不出甚麼辦法。軍師，你可有辦法救他？
這是他們的家事，我怎能亂出主意。

明天我托軍師回拜，你再懇求他，他定有辦法。
我性命早晚不保，望先生救我！
公子只要請求屯兵駐守江夏，就可避禍。
劉表同意後，劉琦便帶兵前往江夏駐守。

主公，你難道忘記自己的志向了嗎？怎麼做起這種事來？
我只是借此消煩解悶罷了。
劉備羞愧地扔掉帽子。
我們兵少將寡，萬一曹兵來到，怎能對付？

我正爲此擔憂，可又想不出辦法。

趕快招兵，由我來加緊訓練。

不久，曹操準備南征，召集文武百官商議。

不多幾天，劉備招得三千新兵，由諸葛亮嚴格訓練。

好！你帶兵十萬，你們四人爲副將，前去征討。
夏侯惇、于禁、李典、夏侯蘭、韓浩聽令。
遵命！

聽說劉備在新野天天練兵，應該趁早消滅他！

劉備是個英雄，又有諸葛亮做軍師，不可輕敵。

將軍不要輕視劉備，他得了諸葛亮，如虎添翼。
我像螢火之光，他卻像明月一樣光輝！
諸葛亮的才能比你怎麼樣？
甚麼英雄？狗熊！我一定活捉他！
這算甚麼話？我不活捉劉備和諸葛亮，願把我的頭獻給丞相。
好！我等你的捷報！
夏侯惇率領大軍，向新野進發。
夏侯
曹
夏

報！曹操派夏侯惇帶領十萬人馬，殺奔新野而來。
三弟說得不錯！
大哥可叫「水」去迎敵嘛！
夏侯惇引兵到來，如何迎敵？
孔明用智，兩弟逞勇，大敵當前，怎可戲言！

先去聽令，看他如何調遣。

關羽、張飛恐怕不肯聽我號令，主公要我把寶劍和大印交給我。

張飛，你領兵去博望坡右埋伏，也是看到起火再出擊。

關羽，你領兵埋伏在博望坡左，曹兵來到，不可交戰，見南面起火，再率兵出擊。

是！
關平、劉封，你倆領兵在博望坡等候，待曹兵一到，立刻放火。

你帶兵正面迎敵，只准輸，不許贏！
是！
我幹甚麼？
主公可領一軍做後援，先後詐敗，等起火後再回軍殺敵！
我坐鎮縣城。
我們都去廝殺，不知軍師幹甚麼事？

我們都去拚命，你卻坐在家中，好舒服啊！
劍、印在此，違令者斬！
你倆沒聽說過「運籌帷幄之中，決勝千里之外」嗎？二位賢弟不可違反軍令。

若他的計謀不靈，再找他算帳！
我們先去打仗，看看他的計謀靈不靈再說。

哈哈！諸葛亮派這樣的軍隊與我對敵，簡直是驅羊入虎口！
第二天，夏侯惇率大軍與趙雲對陣。
夏侯惇縱馬出陣，趙雲挺槍迎戰。
沒幾個回合，趙雲拍馬佯敗。
戰了幾合，趙雲又敗退。
趙雲誘敵，怕有埋伏。
追了十多里，趙雲回馬又戰。

夏侯惇率軍追到博望坡，劉備截住厮殺。
這樣的敵軍，就有十面埋伏，我也不怕！繼續追擊！
博望坡
哈哈！這就是諸葛亮的伏兵。
這裏道路狹窄，兩邊都是茅草，要防火攻。
于禁、李典率後軍趕到。
追！不到新野，決不收兵！

有理！停止前進，往回撤！

着火了，快逃命！

趙雲、劉備回軍趕殺，曹軍自相踐踏，死傷不計其數。

夏侯惇、李典、于禁等，冒着煙火，逃上博望坡左邊的小路。

關羽在此等候多時了！

張飛率伏兵殺出，夏侯蘭手慌腳亂，被張飛一槍刺死。

他們逃往坡右。
張飛在此！

軍師神機妙算，確是奇才！
大軍回到新野，諸葛亮設宴慶功。

殺到天明，曹兵死傷無數。夏侯惇收拾殘兵敗將，撤回許昌。

十

火燒新野

客觀條件充足不一定有利

劉備「三顧草廬」與孔明「博望坡用兵」都是我們熟悉的故事了。「三顧草廬」，說的是劉備求才若渴，三度拜訪孔明，力邀對方「出山」，以誠意打動孔明；「博望坡用兵」說的是孔明初次用兵，以寡敵衆，以弱對強，大勝由夏候惇率領的十萬曹軍。這兩個故事，一誠，一智，簡括而言似乎就是這樣。

表面簡單須往深處看

然而，世事往往並非如此簡單。專家更提出警告說，簡單化，單一化，是危險的，大自然是這樣，人類社會也是如此。大自然是複雜的，但是，大自然也是諧和的。如果以爲大自然的諧和是由於簡單或單一，便是一種很大的錯誤。人類社會以大自然爲師，同樣的道理，就是不要追求簡單，不要追求單一。也許，我們只有在複雜裏才會求得平衡，求得和諧，求得發展。客觀是這樣，不管我們喜歡不喜歡。

關鍵在於，怎樣在複雜之中處理得好。既然總的來說，世事是複雜的，那末，我們便得順應，也複雜地處理。有人說，那就是處理得細緻。可是，細細推敲起來，便會發覺，那不僅僅是細緻而已。細緻與複雜有相似之處，卻並非完全對應的。「天人合一」，是一種極高的境界。有的時候，複雜的東西看起來簡單，但也不過

是「看起來」而已。很可能，愈是複雜的東西，看起來便愈是簡單。

孔明初出茅廬，「博望坡用兵」而大獲全勝，如果說，他靠的全是地利：博望坡狹道兩旁長滿了高高的野草，宜於孔明用火攻。孔明的大獲全勝，主要也是靠在那兒用了火攻。這裏說的無疑是事實，但只是事實的一部分。如果僅僅是這樣，便說明不了孔明的智慧，亦不會難倒用兵經驗豐富的夏侯惇。

條件充足仍須人促成

當夏侯惇的副將于禁、李典追隨夏侯惇到了博望坡狹道，看到兩邊都是蘆葦，也有所警覺的典謂禁曰：「欺敵者必敗。南道路狹，山川相逼，樹木叢雜，倘彼用火攻，奈何？」禁曰：「君言是也。吾當往前爲都督言之；君可止住後軍。」這一點，孔明如果估計不到或估計不足，也是不會得到成功的。博望坡狹道的宜用火攻，客觀的條件愈是具備，便未必有利，甚至是不利的。因爲，客觀的條件充足，幾乎人人都看得到，便很可能給抵銷了，無法用得上。

我們做事，往往得講究主觀條件和客觀條件。條件不足，可能便得創造。我們的想法是，主觀條件也好，客觀條件也好，無論如何，條件愈足，總是愈佳，愈容易得到成功的。然而，從另一個角度看，愈容易得到成功，事情便是趨向了簡單化，如果我們在前面說過的話成爲了一個前提，那末，在這個前提下，一旦簡單化、單一化，要得到好的結果，便是很不容易的了。

孔明靠了博望坡狹道。他在佈置兵馬的時候，也明確了，火攻是戰術的核心，各人兵馬的調動，往往以狹道起火爲訊號。只是，他靠的不僅是這條狹道。這條狹道，正因爲客觀條件充足，孔明便更要加一把勁。

只顧捕蟬而不防黃雀①

首先，他看到了，夏候惇以十萬大軍壓境，志在必得。他借了這個勢。第二，故意以「不起眼②」的兵馬爲前部，加强對方的勢，特別是心理上的絕大優勢，夏候惇說的「以此等兵馬爲前部，與吾爲敵，正如驅犬羊與虎豹鬥矣。吾於丞相前誇口，要活捉劉備、諸葛亮，今必應吾言矣。」這時的夏候惇已經陷入了孔明的圈套。孔明的另一個安排，是命趙雲迎戰，卻不要贏，只要輸，且戰且走；第三，以劉備領兵爲伏軍，應了夏候惇的估計，同時使他看到，伏軍也不外如是，必勝的心理無限量地膨脹，便喊出了「今晚不到新野，誓不罷兵」的口號，「只顧催軍趕殺」，對狹道的充足的火攻條件有所忽略。第四，孔明在佈置兵馬迎敵的同時，也命人準備慶功宴，安排「功勞簿」，並非只是一味助敵之威風的。

結果，待夏候惇得到提點而猛醒，要回頭的時候，已經來不及了。孔明催動的火攻，一下子便奏奇效。他安排的後着，預期的東西，一一應驗。

孔明一仗而奠定了自己在劉備軍中的地位。劉備對他的恭敬，無助於他的地位。如此這般一舉擊潰十萬曹軍，威名立起來了。

①只顧捕蟬而不防黃雀：成語「螳螂捕蟬，黃雀在後」的活用，意思是：只顧攻擊他人，而不防備另有強敵在後。

②不起眼：不顯眼，不引起人家注意。

夏侯惇敗回許都，曹操定會率兵前來報仇。

那怎麼辦呢？
我有一計，可敵曹兵。

軍師有甚麼妙計？

劉表病重，我們乘機奪取荊州，便能抵御曹操。

我受劉表厚恩，怎忍心下手！

我寧死，也不忍作此忘恩負義之事！
現在不取，後悔莫及！
既然如此，以後再說吧！
過了幾天，劉表病危，派人請劉備到荊州商量後事。
我子無才，恐不能繼承父業。我死後，賢弟可自領荊州。

報！曹操派曹仁、曹洪爲先鋒，親率五十萬大軍南下！

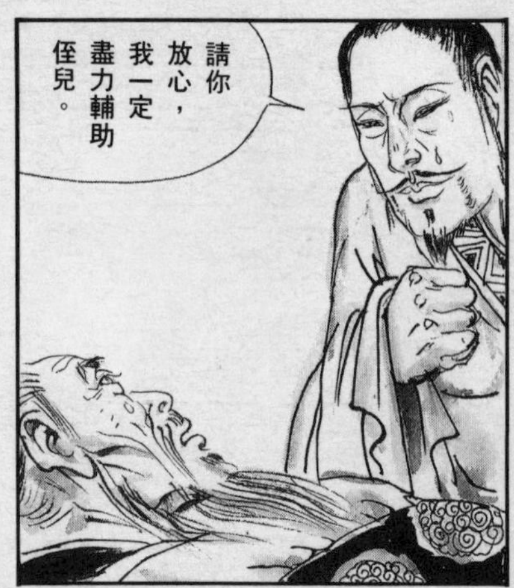
請你放心，我一定盡力輔助侄兒。

劉表急、病交加，不久病逝。

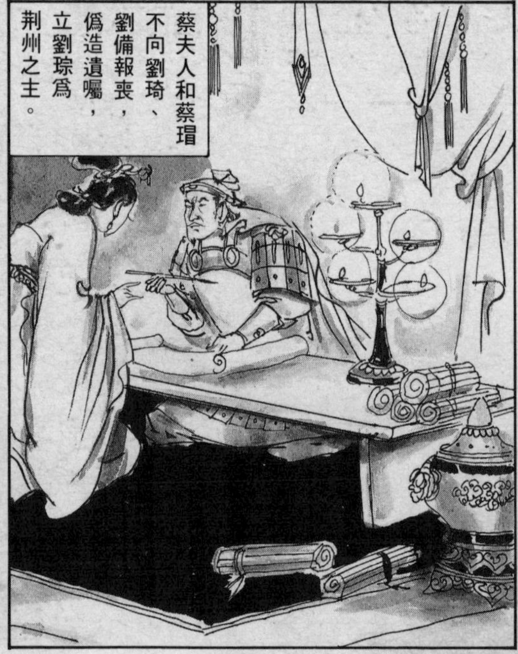
蔡夫人和蔡瑁不向劉琦、劉備報喪，僞造遺囑，立劉琮爲荊州之主。

劉備急忙告辭劉表，連夜趕回新野。

蔡瑁命鄧義、劉先守荊州，自己和劉琮前往襄陽駐守，防備劉琦、劉備。

報！曹操大軍直往襄陽而來！
劉琮剛到襄陽。

劉琮、蔡瑁懼怕曹操，派宋忠去向曹操投降。
宋忠從曹營返回時，被正在巡邏的關羽捉住。

劉表已死，劉琮、蔡瑁投降曹操……
承蒙前時相救，不勝感激！
正在這時，劉琦派伊籍來到新野。
我們立刻起兵去奪襄陽，殺了蔡瑁、劉琮，再和曹操交戰！

大公子還不知道，劉琮已把荊襄九郡獻給曹操了。
劉表已死，劉琮篡位，大公子約將軍共同發兵，前往襄陽問罪！
是的，雲長剛才捉到劉琮派往曹營投降的宋忠。
眞有此事？

既然如此，將軍何不以吊喪爲名去襄陽，擒住劉琮，殺掉蔡瑁等人，佔據荊州。
劉表臨死托孤。現在要我去捉他兒子，奪他的地盤，萬萬不行！
這是一條妙計。
現在曹兵已到宛城，如不這樣辦，如何抗拒敵軍？
不如先到樊城躲避一時。

伊籍，你快回江夏，讓大公子整頓軍馬，準備迎擊曹操。

好！我馬上趕回去！

報！曹軍前隊曹仁、曹洪已到博望坡，還有許褚三千鐵甲軍開路。

軍師，大兵壓境，怎麼辦？

別着急！曹仁、曹洪並不是我的對手，只是新野守不住，可先到樊城去。

劉備派人在四門張貼告示。
曹兵壓境．新野恐將失守。百姓可去樊城暫避．不可自誤。

糜竺，你護送主公家眷，前往樊城！
是！

百姓扶老攜幼，紛紛逃向樊城。

是！
關羽帶兵一千，到白河上游埋伏，用沙袋截住河水，三更後取起沙袋放水，再率士兵衝殺。
張飛帶兵一千，到博陵渡口埋伏，曹軍被淹，一定逃向這裏，將軍乘勢殺出。
是！
是！
趙雲領兵三千，先在城內屋上撒硫磺等引火之物，再分兵四隊，伏在城外。

半夜起風，從南、北、西三門射入火箭，只留東門放敵兵出走，你再從後追殺。

是！

諸葛亮和劉備登高瞭望，等候勝利捷報！
糜芳、劉封領兵兩千，一半青旗，一半紅旗，到城外三十里的鵲尾坡屯駐，作爲疑兵。
劉

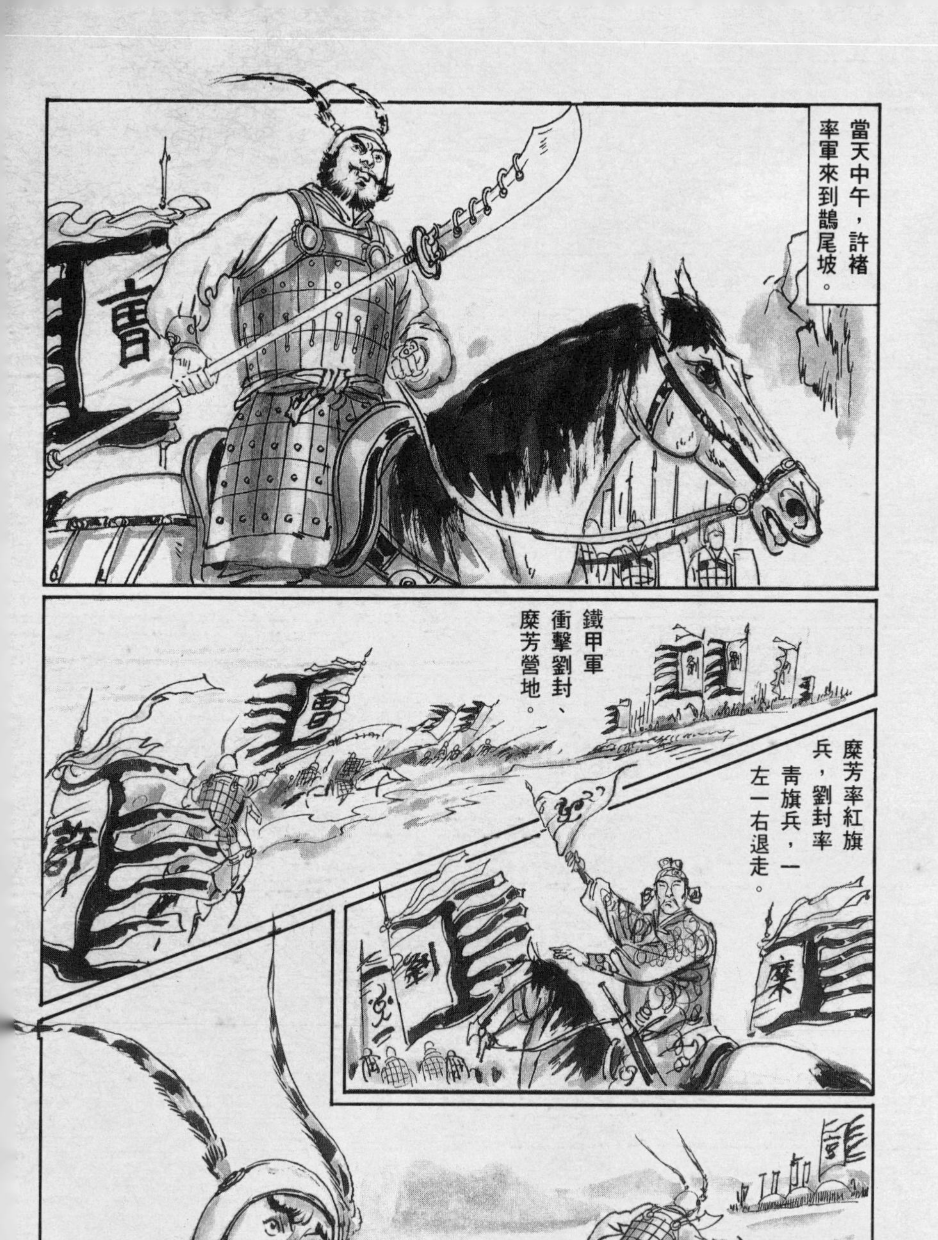
當天中午，許褚率軍來到鵲尾坡。
曹
鐵甲軍衝擊劉封、糜芳營地。
曹
許
劉
劉
糜芳率紅旗兵，劉封率青旗兵，一左一右退走。
劉
糜
許褚飛馬去報知曹仁。
前面有埋伏，停止前進！

許褚回到坡前，領兵追擊。
這是虛設疑兵，可迅速前進！我率大軍隨後就到。

咦？怎麼一個人也沒有了？
將軍，山上有人！

許褚向上望去，劉備和諸葛亮竟在喝酒談笑！
劉
?
氣死我了，衝上去！
山上打下擂木礮石，曹軍無法前進。
傍晚時分，曹仁率大軍來到。
曹
別理他們！先去佔領新野縣城。

曹軍到達新野，只見四門大開，竟是一座空城。
曹

曹兵連日奔波，人困馬乏，都去搶房做飯。
劉備諸葛亮勢孤計窮，帶着百姓逃了！我們休息一夜，明早再追擊！
曹仁、曹洪在縣衙內休息。

半夜時分，狂風大作。
報！城內起火了！
一定是軍士做飯引起的，不必大驚小怪。
北門起火！
西門起火！
南門起火！
啊?!快撤出城！
曹仁、曹洪上馬出衙，城內已是一片火海！

曹軍自相踐踏，死傷無數！
快逃命！
快逃啊！
快從東門出城！
只有東門沒火！
曹仁，你往哪裏逃？
劉封、糜芳也領兵殺來。
曹仁剛逃出東門。

決口放水！
曹兵逃到白河，人渴馬也渴，見河水不深，紛紛下河喝水。
關羽在上游聽到人喊馬嘶。

關羽殺來，曹仁逃向博陵坡。

快逃命！
河水奔騰直瀉，曹軍淹死無數！

曹仁，你往哪裏逃？

曹仁等無心戀戰，
抱頭鼠竄。
曹
劉備、諸葛亮會合
關羽、張飛、趙雲
等將，乘船渡河，
退回樊城。